D1277906

DANSE !

DU MÊME AUTEUR

Une femme, Camille Claudel, Presses de la Renaissance, 1982 (éd. de poche : L.G.F., 1984) ; réédition Fayard, 1998.

Elle qui traversa le monde, Presses de la Renaissance, 1985.

Préfaces pour *Andromaque, Bérénice, Iphigénie,* Le Livre de Poche.

Racine, roman, Fayard, 1997.

Anne Delbée

Danse !

roman

Fayard

À Pierre B.

« Cette déchirure qui ne se déchire pas... »

TOLSTOÏ

CHAPITRE 1

La beauté

Par instants seulement, il relève la tête. Le bruit autour de lui le roule comme, autrefois, les galets au bord de la mer caressante de son enfance.

Le bruit : mot vague ! Ni murmure, ni sanglot, ni tumulte, ni soupir qu'il pourrait distinguer. Le bruit de Paris. Lui aussi s'est malheureusement habitué à ce va-et-vient qui le polit et le repolit pour mieux le mettre au niveau des autres humains dont l'oreille amoindrie supporte de plus en plus difficilement les grands cris tragiques de jadis.

Des centaines de milliers de pas autour de lui, des millions de piétinements – une boue informe, mâchée et remâchée, tel le chewing-gum que sa semelle a évité de justesse tout à l'heure et qui aurait irrémédiablement gâché ce léger après-midi d'avril.

Un vent timide ramène ses cheveux vers l'avant, encore plus blancs sous le soleil pâle. Bientôt il aura trente et un ans : tout à l'heure, ce soir. À vingt et une heures vingt-cinq, très exactement. Sa grand-mère le lui a déjà répété quatre fois cette semaine.

Cette masse blonde et raide qu'il écarte d'une main distraite lorsqu'il relève la tête, il la tient de son arrière-grand-père Boris, le Russe, parti aux États-Unis à la fin des années 1840. Quant au visage que l'on découvre au-dessous, il évoquerait plutôt l'Inde, ses figures penchées sur les eaux sacrées du Gange.

Indifférent à l'intérêt que cette trop belle tête a coutume de provoquer, Nathanaël, émigré pour jamais au pays de l'âme, se remet à lire. Il échappe à tout ce qui l'environne, bruits des choses, rumeur des hommes, pour sillonner les grands espaces de ses lectures, pareil à ces plongeurs en apnée qui ne remontent en surface que pressés par le manque d'air.

Il lit comme on prie, en solitaire, perdant peu à peu connaissance, absent, de plus en plus en communion avec le dieu qu'il devine derrière les pages. Sa fine main gauche mi-appuyée sur la table et dans laquelle repose, tel un oiseau blanc, le livre, il lit :

« *Qu'Eschyle soit le plus grand des perdants, non seulement parmi tous les écrivains, mais de tout le genre humain, c'est là une autre évidence. Le dommage qu'il a subi est à la mesure des Titans...* »

Il lit, et le monde s'engloutit à ses côtés dans une étrange confusion qu'il a renoncé depuis longtemps à démêler. Ses hautes études à l'E.N.A. l'ont même raffermi dans le jugement qu'il porte sur ses semblables. Qui se soucie aujourd'hui d'Eschyle ? Les hommes au pouvoir ? Cette foule qui fait la queue pour entrer au Louvre ? Il jette un rapide coup d'œil alentour avant de tourner la page et de repartir vers les profondeurs.

Il ne prête nullement attention à la femme âgée qui l'observe, aussi solitaire que lui, depuis un bon moment. Elle est menue ; son chignon, aussi blanc que sa chevelure à lui, ramassé sur la nuque dont s'échappent des mèches rebelles de petite fille, lui donne un air encore plus sage, mais ses yeux sombres n'ont rien perdu de leur farouche vivacité. Qui est-elle ? Une paysanne égarée dans la grand-ville ? Son costume noir, son trop grand sac, ses mains diaphanes posées pudiquement sur ses genoux, comme on vous l'apprenait jadis, accentuent encore la singularité de sa présence. Elle se tient trop droite ; seule sa tête est légèrement penchée, comme en attente.

À aucun moment elle ne détache ses yeux du jeune homme, et si elle approche par instants sa tasse de ses lèvres, c'est sans le quitter du regard. La mousse blanche du cappuccino la grime parfois d'une moustache légère pareille à un coup de craie. L'espace de quelques secondes, elle ressemble à un vieux clown, jusqu'à ce que, du dos de la main, elle essuie lentement sa bouche. Elle semble alors se remémorer un baiser d'amant. Le premier, peut-être ? Puis elle reprend son guet.

Il ne voit rien ; sa beauté continue de tracer autour de lui un cercle intangible. Cela fait si longtemps qu'il a délaissé l'agitation fébrile de ses semblables, les taux de croissance et les zappings télévisuels ! Un jour, il s'est assis à l'écart, comme aujourd'hui, cherchant dans les signes imprimés une réponse à sa mélancolie. Par ce mot désuet, il a tenté de cerner lui-même son incapacité de vivre avec satisfaction dans la société d'aujourd'hui. Cette espèce de nonchalance désabusée qu'il ressent sourdement, de manière continue, et qui le nimbe d'un halo trouble au regard des autres.

Les autres qui se sont peu à peu lassés de ce qu'ils appellent, eux, de manière plus prosaïque, son égocentrisme.

Café Marly. Dans sa main repliée, le livre s'est refermé, révélant le titre et l'auteur : *Eschyle ou le grand perdant*, d'Ismail Kadaré.

Le thé refroidit. Sans sucre, sans rondelles effilochées de citron. Un thé mordoré comme la peau de Nathanaël, qu'il boit pendant de longues heures, chaud ou refroidi, au gré de ses lectures. Un thé parfumé comme il l'est lui-même. Grâce à ce parfum qu'il porte depuis qu'elle a disparu en l'espace de quelques secondes. Disparu !

Sa mère, Zelda, l'Américaine ! Sa mère et son parfum d'homme.

Sa mère enlacée à son père, tous deux dansant le tango comme s'ils l'avaient appris depuis leur plus tendre enfance.

« *Mais est-ce qu'on apprend l'amour ?* » chantonnait son père. Tant d'airs qu'il savait ainsi !

Nathanaël relève la tête avec brusquerie comme s'il avait failli se noyer. Ne se souvient plus de la suite de la chanson. Ne veut plus se souvenir. A tourné la tête une fraction de seconde. Voit les yeux sombres braqués en plein sur les siens. Et c'est tout un orchestre qui s'accorde soudain entre la vieille dame et le jeune homme.

Une envie de danse, d'alcool, de vie heureuse engloutit Nathanaël sous des flots de souvenirs enjuponnés ; et cela tourne, et les couches successives d'images lui encapuchonnent la tête. Cela fait si longtemps... Il se raccroche à la table, reprend son équilibre. Est-ce le parfum d'avril ? son anniversaire ? les deux yeux sombres, brûlants de vie, de la vieille dame ? Il hèle le garçon :

– Un *old-fashioned* !

Seul un whisky « à l'ancienne mode », comme disait sa grand-mère, pourra apaiser cette mémoire assoiffée.

Il ne boit plus guère d'alcool. Ce n'est pas par ascétisme, non, plutôt une espèce de désintérêt, comme pour le reste. Règle qu'il ne transgresse que par civilité s'il vient à dîner avec quelqu'un. Mais, depuis longtemps, il n'invite personne ni ne se laisse inviter.

Sauf, justement, le malencontreux dîner de ce soir ! Décidément, cette fin de journée s'annonce mal. Quel besoin a-t-il eu d'accepter cette invitation-là ? Il s'en veut maintenant. Lui en veut. Comment s'appelle-t-elle, déjà ? Talleyrine. Madame Talleyrine.

– Des anciens clients de votre père. Vous ne vous rappelez pas ? Vous étiez trop jeune ! Je suis leur fille.

Il avait murmuré quelques vagues oui-oui, ne se souvenant aucunement de l'adolescente en question. De fait, il n'était alors qu'un enfant !

– Mais si, une rousse avec de grosses joues qu'embrassait votre père en éclatant de rire. Maria ! Maria Talleyrine ! Il me confectionnait des tours Eiffel en papier, je les emportais après dîner, je les préférais à tous mes jouets !

Elle parlait, volubile ; la voix était chaude, et Nathanaël s'était laissé rouler et emporter par cette voix qui le malmenait en tous sens.

– Je vis près de Paris, maintenant. J'ai une fille de douze ans. Cela me ferait tant plaisir de vous voir. Le temps passe si vite ! Vous viendrez ?

Elle a gardé, comme tous, un souvenir ému de Gabriel. Elle aimerait l'évoquer avec son fils, et voilà, il dit oui-oui, et encore oui, et il se retrouve avec ce dîner sur l'estomac avant même d'en avoir avalé une bouchée. Folie ! Ne plus jamais acquiescer directement au téléphone, laisser le répondeur intraitable avaler les appels.

Il tourne la tête. Le journal *Le Monde* est là, posé sur la table d'à côté, oublié ! Comme les tragédies de ce monde qu'il relate. Est-ce pour cela qu'Eschyle a brûlé presque toutes ses pièces ? Pour ne pas être abandonné sur une table, réduit au silence par les autres ?

Reprendre la lecture de son livre. Mais non. Inutile. Plus le temps. Soudain, le journal se soulève légèrement sous le vent d'avril. Le cœur de Nathanaël dérape... Les mains de son père sur le journal, la douceur des doigts si agiles à dessiner, son alliance, le papier qui se plie et se replie, le long rouleau, les enfants groupés autour de Gabriel ; le couteau suisse qui sort de sa poche avant droite, ce couteau qui trouait systématiquement la doublure de ses poches ; le couteau aux mille trouvailles qui, peu à peu, se met à sculpter le journal qui devient un tuyau d'orgue et que l'on tire vers le haut avec des larmes de rire. Voilà la tour Eiffel entre les mains de l'architecte ! Gabriel d'un côté, les enfants de l'autre, et, entre eux, la Tour qui monte vers les cieux, fragile, fragile ! Et lui, l'enfant de Gabriel, regarde son père. Fier, légèrement en retrait. Il n'est jamais jaloux des autres. Il est le fils de l'architecte. Il peut bien le leur prêter, le temps d'une tour Eiffel, puisqu'il est depuis toujours dans son secret.

Le whisky est servi. Il avale aussitôt d'un trait une grande coulée d'ambre. Là-bas, au-dessus du verre, à quelques dizaines de mètres, des piétinements vers l'entrée du Louvre : un groupe d'adolescents envahit le cadre. Seize, dix-huit ans. Est-ce que l'espèce humaine change à ce point ? Repliés, la tête rentrée dans les épaules, ils sont en train d'engloutir des Big Mac ou quelque autre nourriture industrielle qui huile leurs doigts gourds et va alourdir encore un peu plus leurs jambes qu'on ne distingue plus sous des jeans trop serrés, effrangés, volontairement troués çà et là comme pour donner à respirer à un reste d'enfance.

Bruit du glaçon contre le verre. Éclat du calque crissant sous l'ongle de l'architecte. Les doigts de son père enserrent le mince crayon de bois, longue pointe qui trace sans hésiter, sans trembler, le trait sur le papier qui fait silence. Souvenir comme d'une déchirure de haut en bas, mais qui n'en finit pas. La beauté du trait tracé par son père.

Et s'il confectionnait à son tour une tour Eiffel à l'intention de ces grands gosses du Big Mac ? Non, il n'a pas la foi paternelle. De toutes manières, ils sont déjà repartis.

Cinq heures au Café Marly. Le livre sur la table ne se rouvrira plus maintenant. Il faut aller vers cette soirée qui déjà lui pèse. Il ne pourra donc pas achever sa lecture. Le thé est tiède et fade. D'un geste rageur, il empoigne le verre de whisky. Deux yeux l'observent. La vieille dame semble se moquer de lui. Qui est-elle ? Est-ce qu'il la connaît ? À tout prendre, il aimerait mieux dîner avec cette folle. L'enlever à son immobilité d'enfant sage.

Quelle fatigue ! Il va lui falloir abandonner ce coin confortable qui lui rappelle la couleur des palais vénitiens. Venise ! Il cale sa tête contre le dossier moelleux du grand canapé, ferme les yeux. Venise lui manque : l'odeur, le bruit, le ciel, la pierre dont les reflets dansent à l'infini dans l'eau, la musique, la lumière de son grand corps humide dans l'angoisse de l'amour. Il étouffe : pourquoi n'est-il pas parti ?

Venise ? Il regardera cette nuit même la cassette du film de Visconti. Cela l'apaisera après le dîner insipide qu'il va devoir subir. À défaut de Venise, il reverra ce film. Il sait par cœur des passages entiers du dialogue : « *La beauté jaillit d'un éclair et ne doit rien aux cogitations de l'artiste ni à sa présomption...* »

Peut-être est-ce la seule chose qui le sauverait de cette vacuité qu'il ressent ? L'apparition, comme dans le film, de la Beauté, de quelque chose qui le rende ivre de vie : le visage d'un adolescent ou d'une adolescente, une Tadzia qui saurait l'amener à l'ultime révélation. Une manière d'apocalypse. Une rencontre qui le conduirait jusqu'à épuisement de toutes ses facultés mais le tirerait loin de cette torpeur dans laquelle il se morfond et se recroqueville.

La vieille dame est toujours là, très droite, un fin sourire sur ses lèvres pâles. Il se moque intérieurement : « Comme visage d'adolescente, on fait mieux ! »

Imperceptiblement, il redresse sa colonne vertébrale comme s'il voulait lui-même paraître plus jeune. Là-bas, un groupe d'adolescents s'est substitué au précédent. Aucune différence. Cela tient de l'épidémie. Pas la peste, mais une sorte de bouffissure. Même abandon à l'attraction terrestre...

Soleil brutal en plein dans les yeux ! Sans prévenir, l'image de Gabriel se tourne vers lui, rieuse, dans le blanc dur de la lumière. Tout le monde l'appelait ainsi : Gabriel, son père l'Architecte ! Droit, le front levé vers le ciel, les yeux éblouis de tout : des enfants en premier lieu, des ailes changeantes des papillons, de sa femme, de l'architecture comme quête suprême de l'équilibre. Que de détours dans Paris n'avaient-ils pas faits ensemble pour admirer le dôme des Invalides, telle construction de Claude-Nicolas Ledoux, ou simplement les arbres du parc Montsouris ? Ou bien encore pour aller écouter du Bach dans une nef vide. La proportion juste !

C'était devenu son principe de vie.

Nathanaël hausse les épaules. L'ombre est revenue. Que faire aujourd'hui pour communiquer à ces jeunes la proportion juste, le nombre sacré de la vie ? Mais à quoi bon ? Il sourit de sa présomption. Ils ont leur propre époque à inventer, sans s'alourdir de toutes ses « ringardises », comme Nathanaël se l'est déjà entendu signifier. C'était au cours d'un dîner où il avait évoqué avec émotion un coucher de soleil ; sa voisine lui avait lancé tout à trac :

– Dites donc, c'est un peu daté, votre histoire ! Il faut vous recycler, mon vieux !

Se recycler ! Comme les vieux papiers ? avait-il pensé.

Nathanaël passe une main sur son front d'un geste las comme s'il voulait effacer la vue du Louvre, des balustrades de pierre et de ces étranges animaux égarés qui, comme lui, portent le nom d'hommes.

Sans doute est-ce lui qui se trouve dans l'erreur, mais il ne peut s'empêcher de voir chez les autres cette lente et vertigineuse glissade en avant. Il aimerait disparaître, tel Eschyle, mais lui, Nathanaël, n'a même pas de pièces de théâtre à brûler ! Au demeurant, qui se soucierait aujourd'hui de poètes détruisant leurs œuvres dans la solitude ?

Une nuit viendra où Venise elle-même cessera d'exister sans qu'un cil bouge aux paupières collées des humains.

Il se lève et, d'un geste méprisant, comme s'il en voulait à Paris de ne pas être la ville aimée, jette un billet sur la table comme on paie une prostituée qui a rendu encore plus insupportable l'Absence.

Il a envie de retrouver le calme de sa maison. Tout est gâché. Les serveurs le saluent avec amitié. Il ne répond pas, comme à son habitude. Tous le connaissent ici ; on lui réserve la même table à l'extérieur dès que le temps le permet – sinon, il se réfugie près de la fenêtre d'où il a vue sur une cour intérieure du Musée. Il n'amène jamais personne ici – il redoute trop d'y rencontrer des relations qui l'obligeraient à fuir et à adopter un autre lieu.

Car où trouverait-il cette atmosphère de *palazzo*,

ce rouge patiné des murs qui lui rappellent la peinture ancienne des palais vénitiens ?

À l'instant où il passe devant la vieille dame, une canne tombe à ses pieds. La sienne ? Nathanaël se précipite. Elle a tendu la main. Il a le temps d'apercevoir ses doigts très minces, très longs. Aucun bijou ? Il lui a déjà restitué sa canne dont la légèreté l'a surpris malgré le pommeau ciselé qu'il a senti sous sa paume.

Sans trop savoir pourquoi, il s'incline et, délicatement, lui baise la main avant de s'éloigner à pas pressés.

Il est devenu idiot ! C'est tout juste si le rouge ne lui est pas monté au front, comme à un gamin de treize ans ! Il marche à longues enjambées vers l'arrêt d'autobus, le 21. Décidément, tout est à l'envers en cette journée d'anniversaire ! Il lui faut se calmer avant de retrouver ce dîner qui déjà l'empêche de jouir comme il voudrait du reste de lumière extérieure.

Pourquoi y aller si tôt, de toutes façons ? Elle lui a donné l'heure à laquelle finit le cours de danse de sa fille :

« Ce sera plus simple qu'au restaurant... Et puis, vous connaîtrez la petite... » et bla-bla-bla, bla-bla-bla. Pourtant, il se hâte comme s'il craignait d'arriver en retard. C'est vrai qu'il n'a jamais assisté à un cours de danse classique. Au point où il en est, autant s'y rendre plus tôt. Madame Talleyrine lui a bien indiqué l'escalier en bois par où accéder à la salle :

« Vous pouvez vous glisser durant la leçon – beaucoup de parents le font – mais ne vous trompez pas d'étage. Au quatrième ! Au quatrième ! Surtout, ne faites pas irruption au troisième en plein exercice ! Avec mademoiselle Serane, vous risqueriez de vous retrouver raide mort ! »

Peut-être est-ce la voix mêlée de rires de madame Talleyrine qui l'avait finalement attiré, ou bien la terreur inspirée par mademoiselle Serane ? Il avait dit oui à tout.

Il monte dans l'autobus et tend avec autorité un billet de deux cents francs.

– Vous n'avez pas de monnaie ? pas de ticket ? lance le conducteur d'une voix excédée. Moi, je n'ai pas de quoi vous rendre. Débrouillez-vous !

Prendre l'autobus sans carte Orange et sans monnaie relève de la provocation la plus dangereuse. Les habitués le regardent d'un air goguenard. L'autobus a déjà redémarré, le prenant au piège. Curieusement, il sent la panique le gagner. Trop de monde. Trop de sourires prêts à planter leurs dents. Une femme lui tend néanmoins avec gentillesse un billet valide qu'elle a extrait de son porte-monnaie. Devant son hésitation, elle insiste :

– Prenez ! J'en ai toujours un pour ma fille lorsqu'elle égare sa carte.

Gêné, il accepte malgré le regard ouvertement réprobateur d'un homme assis non loin et qui occupe presque deux places avec un énorme sac de plastique d'où émergent d'étranges accessoires. L'autobus freine brutalement, les envoie valdinguer d'un côté et de l'autre, puis redémarre. Nathanaël descend à Opéra, non sans adresser un sourire à la femme qui lui a épargné tout à l'heure la honte de devoir quémander un ticket. À l'instant de quitter l'autobus, il entend le gros passager bougonner d'une voix forte :

– Les belles gueules savent se faire entretenir ! Et ça n'a même pas le courage de faire trois pas. Quelle époque !

Heureusement, la vision de l'Opéra qui, dans le soleil d'avril ressemble, en cette fin d'après-midi, à un vieux lion assoupi, repu de chasses chimériques, l'apaise. L'Opéra Garnier ! Nathanaël reste quelques secondes à le contempler comme pour reprendre souffle. Son père lui racontait que, le jour de l'inauguration, le seul à avoir été oublié dans les invitations avait précisément été Charles Garnier lui-même, l'architecte qui lui avait consacré six ans de sa vie. Nathanaël aurait tant aimé se trouver emporté dans un de ces projets fous. Peut-être était-il devenu velléitaire, lui qui avait pourtant si ardemment travaillé. Il avait terminé ses études avec brio, occupé des postes administratifs prétendument importants, mais il savait ce qui le rongeait, et, de cela, il ne pouvait s'ouvrir à personne. Peut-être aurait-il pu le confier à cet édifice qui, au fur et à mesure qu'il s'en approchait, ressemblait à un vieux sage attentif, assis jambes croisées, monarque solitaire dédaigneux des cartes de réduction et des Big Mac ! Oui, à qui d'autre parler de la Beauté ?

La pause ne dure que quelques minutes ! Feu vert. Affolement devant les Galeries Lafayette ! Piétons, enfants criards, femmes titubantes accrochées à leurs grappes de paquets, voitures qui redémarrent. Naturellement, on est mercredi, jour des courses. Le voici bousculé, poussé, tiraillé à hue et à dia. Et tous de manger : des bonbons, des glaces, des crêpes. Non, même Tolstoï, son « vieux clochard », comme disait sa grand-mère, ne parviendrait plus à lui faire ajouter foi en l'humanité.

Tolstoï et son bâton épointé comme un javelot, qui vient le rejoindre.

– À quoi bon vouloir m'accompagner, vieux frère ? lui murmure-t-il. Tu es mort depuis bientôt cent ans, tu ne peux plus rien pour moi.

Feu rouge.

« Un vrai clochard, ce Tolstoï, maugréait sa grand-mère. Une allure de moujik. Regarde-moi ce manteau râpé, ce sac informe sur les épaules, et cette tête d'illuminé ! Un vagabond. Tu as fait disparaître toutes les photos de ton père, mais cette affreuse carte postale trône toujours sur ton bureau. Je comprends que tu ne tiennes pas souvent à t'asseoir à ta table de travail ! »

Il lui pardonnait parce qu'elle était Sarah Petrovka, sa grand-mère maternelle, devenue sa seule famille, et qu'elle cachait derrière ses moqueries un cœur délicieux. Elle avait adoré son gendre, l'Architecte. Lorsqu'elle pouvait sortir avec Gabriel, elle était toujours tirée *à seize épingles*, disait-elle. Il faut dire qu'il n'avait jamais vu sa grand-mère autrement qu'irréprochable. Si, une fois, lorsqu'il avait fallu la réveiller en pleine nuit pour lui apprendre la mort de sa fille et de son gendre. Atroce nouvelle ! Atroce souvenir qui lui revient encore, intact, dans sa brutalité, tandis qu'il atteint l'église de la Trinité.

Aussitôt, comme il est en avance, il décide d'entrer un moment. Il lui faut reprendre souffle, comme s'il avait trop couru, craignant d'être en retard.

Cette journée emprunte décidément un cours de plus en plus chaotique : voilà qu'il vient chercher refuge dans une église ! Mais, à peine entré, il se sent agressé par les panneaux d'affichage annonçant telle ou telle réunion, assemblée, conférence, etc. Jaunes, vertes ou roses, leurs taches vives massacrent le silence qu'il est venu chercher. Il rebrousse chemin, cherchant la sortie, comme s'il redoutait que quelqu'un ne surgisse pour lui vendre quelque chose. Il a l'impression qu'en ces lieux on brade quelque marchandise. La foi ? la prière ? le salut ?

À sa sortie, un clochard l'accoste pour lui soutirer une pièce. Clochard ou chauffeur de bus, il n'a pas de monnaie. D'un geste désespéré, il lui tend ses deux cents francs. Comprenne qui voudra ! se dit-il, exaspéré. Pour la seconde fois, il a l'impression de s'enfuir, comme tout à l'heure, au café, après qu'il a eu ramassé la canne de la vieille dame. Tout plaquer, à l'exemple de Tolstoï ! Voilà qu'il ressent la fuite du « vieux clochard » comme la sienne propre. Il n'y a pas d'explications à donner, c'est ainsi : sa fuite lui devient précieuse. Il marche à présent à grandes enjambées, Tolstoï à ses côtés, cherchant à nouveau le train qui l'emportera plus loin, toujours plus loin, loin, loin, loin dans les étoiles ou les enfers, mais loin d'eux tous. Porté par le désir d'un ailleurs. D'être ailleurs, enfin !

Calme-toi, lui murmure Tolstoï. Quand je me suis enfui, j'avais quatre-vingt-deux ans. Tu as le temps !

Nathanaël songe à cette photo qu'il conserve sur son bureau.

« Comme Madame a raison, acquiesçait la vieille Berthe qu'il avait toujours connue au service de sa grand-mère. Il n'est pas mieux qu'un S.D.F., son Tolstoï. Regardez-moi cette bobine. Quand je pense qu'on s'est battu pour ne pas porter de matricule ! S.D.F., R.A.T.P., R.M.I., P.T.T., R.E.R... Maintenant, tout le monde ne parle plus que par initiales. Bientôt, ils se feront tatouer, comme des prisonniers ! Pauvre Madame ! Enfin, Monsieur Nathanaël a interdit que je touche à son bureau, sinon il y a beau temps que la photo de ce vieux pochard aurait fini à la poubelle et que j'aurais mis du D.D.T. pour tuer les puces et que tout soit propre. »

La vieille bonne mélangeait l'ancien et le nouveau monde et ne s'y retrouvait pas très bien dans les sigles. Tolstoï un S.D.F. ! Un ivrogne ! Pourtant, la fidèle Berthe n'avait pas tout à fait tort, marmonne-t-il en attaquant la rue en pente. S.D.F. ? Oui, un Sans Domicile Fixe de la Pensée, un ivrogne des mots !

Il s'amuse à parler tout haut, tout seul, marchant en zigzags. Oui, il aime cette photo. À cause de cette petite tête de clown coiffée d'un vieux bonnet qu'il contemple chaque soir avant d'aller se coucher, de cet homme dont l'agonie a presque réussi à arrêter le monde, Nathanaël se sentirait à deux doigts d'avoir la foi. Un homme seul campé devant un mur de brique nu possède le monde et le recrée à la démesure de son imagination. Semblable en cela à Eschyle derrière le papier huilé des fenêtres d'hiver, ainsi que le réinvente Kadaré...

Et lui, qu'écrit-il ? La Guerre ? La Paix ?

« Je n'écris que quand je ne peux pas ne pas écrire... », disait le vieux Russe.

Il aurait aimé être cet illuminé.

Qu'importe le reste ! Être un seul jour ce voyant, une seule fois dans cette foutue vie !

Nathanaël s'arrête devant une vitrine où, semblables à des nez d'ivrognes, des pots de confitures de régime à la fraise, à la mûre, à la framboise, semblent se moquer des passants. La vitrine clignote de réclames et de recettes !

Non ! Il ne croira jamais ni dans le salut des hommes, ni dans les confitures amincissantes, encore moins dans les lessives à laver les cerveaux ou à blanchir l'argent.

Il appelle au contraire à cette fulgurance qui trouble le blanc des pages ! Peut-être faudrait-il avec humilité se mettre à genoux ; se mettre derrière sa table, sans prétention, chaque jour. Mais c'est là que l'immensité de l'effort à fournir apparaît. Recommencer chaque jour à inventer un monde ? Même Dieu s'est arrêté !

Qui voudrait se dépouiller jusqu'au bout, accepter de perdre son expérience devant un être innocent en espérant ainsi le séduire ? Se remettre pieds et poings liés à la page vierge ? Ne plus penser...

Attente d'un nouveau feu rouge avant de traverser. Traverser ? Traverser quoi ? Ma propre vie, peut-être ?

Pourquoi faire semblant de s'agiter dans le bocal ? Des passants le regardent. Trop grand, trop beau. Riche, un peu, ça se voit à ses vêtements. Aucune excuse à n'être rien. Il n'est pas même capable de dire non à la fille d'un riche client de son père. Il pourrait être un beau lieutenant, mais dans un roman de gare, car même Tolstoï ne l'aurait sans doute pas pris pour modèle dans *Anna Karénine*.

Ainsi se dirige-t-il vers le cours destiné « aux petites filles adorées de leurs mamans ». Mais non ! ne pas verser dans la méchanceté, par surcroît. Rester humain, autant que faire se peut.

La rue, par cette fin d'après-midi, a un petit air de province. Immeubles cossus, trapus, épais. La boulangerie, sur le trottoir d'en face, semble désaffectée. Aujourd'hui il n'y a pas école, donc moins de goûters pris au-dehors.

La porte est lourde. Nathanaël se sent encore plus vieux dans l'effort qu'il fait pour la pousser. Peut-être a-t-il commencé à couver une maladie sérieuse : dépression, cancer ? Il a même du mal à respirer. En réalité, il est au bout de son rouleau, pense-t-il, amusé. Il faudrait qu'il songe à en acheter un autre, à « se recharger » !

À peine a-t-il franchi le hall que la musique l'environne. Il pénètre dans une cour intérieure dont la sérénité le soulage de l'agitation qui, depuis un moment, s'est emparée de lui.

L'immeuble est vieillot, l'escalier craque, rassurant comme un vétéran qui rabâche. Au premier, des photos de petites filles, roses de la tête aux pieds, tapissent la porte. Voilà qui promet ! Faire demi-tour au plus vite ? Il faut au moins reprendre sa respiration avant de parvenir jusqu'au quatrième. Depuis tout à l'heure, il n'arrête pas de monter – monter des marches, des rues, des étages. Un vrai calvaire, se moque-t-il.

Des petites, toutes petites, dévalent les escaliers à sa rencontre, accompagnées de leurs mamans. Il aperçoit six paires d'yeux écarquillés. Ça jacasse de tous côtés. Tout occupées à leur discussion, c'est à peine si elles accordent un regard à Nathanaël. Il reste décontenancé par leur indifférence.

Les cheveux fins s'échappent de chignons trop serrés autour des visages fatigués, creusés, de ces enfants, contrastant avec les joues pleines et poudrées de leurs mamans. Pourvu que sa convive de ce soir ne ressemble pas à l'une d'elles !

Sa mère Zelda aurait déjà fui, entraînant Gabriel vers un souper en tête à tête. « Nous serons mieux tous les deux », disait-elle avec son sourire enjôleur, et Gabriel cédait toujours à Zelda, quittant invités, cocktails, bruyants comités. Il cédait toujours à Zelda, au grand dam des autres femmes qui auraient tenté bien des choses pour le séduire. Peut-être voler un baiser entre deux portes ? Mais nulle ne réussissait à séduire l'Architecte, semblable aussi en cela aux enfants.

Un air de Bach se déroule vers lui le long de la rampe qu'il vient d'empoigner. La musique coule à présent entre ses doigts et, sans s'y attendre, Nathanaël en a les larmes aux yeux. Il gravit les dernières marches avec lenteur, le regard embué. L'architecture de Bach a métamorphosé la cage d'escalier.

« *J'ai beaucoup travaillé,* écrivit le musicien. *Quiconque s'appliquera autant pourra faire ce que j'ai fait.* » Ces mots de Bach, il les avait recopiés dans son journal. Parfois, en les relisant, Nathanaël se dit que les génies ont la simplicité des innocents. Comme lorsqu'on dit des enfants qu'ils ne doutent de rien. Peut-être est-ce faire métier de l'éternité, murmure-t-il : monter une marche après l'autre sans se rendre compte qu'on l'a inventée. Peut-être, enfant, étions-nous nous aussi des Racine, des Tolstoï, des Bach, mais nous n'avons pas eu l'incroyable courage de le croire, de voir et gravir la marche suivante.

La musique grandit. Il avait quelque chose d'un rocher, disaient ceux qui l'avaient rencontré. N'empêche : le cœur et l'esprit de Jean-Sébastien Bach devaient être plus grands et plus puissants que ceux des autres.

Il monte à présent vers une sorte de temple sacré, à l'air raréfié.

Nathanaël pousse la porte ; son cœur bat drôlement. Une autre porte à sa gauche. Cesse de penser ! Laisse là tes connaissances. Pousse cette seconde porte. Permets à la musique de te sauter au visage. Laisse faire !

Un mur de dos de femmes parfumées, trop. Il se sent perdu. La chaleur est insoutenable. Il se faufile vers la droite ; un escalier qui descend ménage une trouée. Plus bas, une vingtaine d'enfants s'agitent.

Elle est là. Il la voit. Elle, et seulement elle. Surgie d'où ? Il lui semble la reconnaître. Il ne saurait dire si elle est belle ou laide. Elle est devant lui, à quelques mètres. L'a peut-être regardé, ou peut-être pas. La distance, en fin de compte. L'indicible à portée de main grâce à une drôle de petite fille qui apprend à danser avec une impassible passion.

CHAPITRE 2

La leçon

Cette enfant n'avait pas un visage classique, même si son petit chignon tentait vainement de la fondre dans la foule uniforme des autres élèves. Elle n'était pas laide. C'était autre chose. Étrangère aux autres. Se dégageait d'elle toute, et pas seulement de son visage, une différence. Elle semblait non pas venue d'un autre pays, mais bien plutôt d'une autre galaxie. Ou de quelque mythologie oubliée.

Peu à peu, Nathanaël reprend contact avec la réalité comme s'il venait d'être projeté, durant quelques minutes, dans un très lointain univers.

Il commence à distinguer les autres visages. Il a encore chaud, comme après avoir traversé les flammes d'un incendie, et il songe en souriant à part soi qu'une partie de son intérieur a pris feu. À quel degré vient-il d'être brûlé, il ne le sait pas encore. Peut-être commence-t-il vraiment à faire une dépression, comme l'assurent ses derniers amis ?

Au-dessous de la galerie où il est parvenu, il devine la présence du professeur. Cette femme a une voix grave qui domine le piano, sans doute situé dans le renfoncement sous l'escalier, car il n'arrive à les voir ni l'un ni l'autre. Bach s'est tu sur un dernier accord qui laisse le monde plongé dans une harmonie réconciliatrice.

Mademoiselle Serane explique les mouvements, mais son discours s'adresse plus à l'âme qu'au savoir technique. Elle essaie de conduire chaque enfant vers plus grand que lui, afin qu'il se fasse une plus haute idée de ce qu'il peut accomplir. Elle le hisse peu à peu jusqu'à atteindre une autre réalité : celle de la danse. Sans négliger le moindre détail d'une position de pied, de tête, de doigt, elle cherche en chacun la parcelle de sublime qui sommeille en lui. Aucun n'est délaissé, même si quelques-uns paraissent plus pataudς que d'autres ; elle les crédite d'autant de potentialités que les élèves apparemment plus doués.

Un lien secret paraît néanmoins attacher l'étrange gamine à son professeur. Il est sûr que cet enseignement où l'on fait appel à la mystérieuse alchimie de l'être humain plutôt qu'au goût de la simple prouesse technique convient à merveille à cette petite danseuse semblable, remarque-t-il, à Mâat, la déesse de la Vérité dans l'Égypte ancienne : personne menue, fille du Soleil, tenant dans sa main la croix de la Vie.

Nathanaël l'observe.

– Clara ! Attention, la tête ! Trop levée !

Ainsi, elle s'appelle Clara. Il a juste eu le temps d'apercevoir deux yeux bleus étirés vers les tempes sous des sourcils sombres. Curieux mélange, car les cheveux tirent eux aussi plutôt sur le brun. Maintenant qu'il peut avec calme l'analyser, il trouve dans ce visage quelque chose qui lui rappelle certaines peintures de Lucas Cranach. La *Mélancolie*, qu'il apprécie peut-être davantage encore que la *Vénus*. Il a découvert ces tableaux du vieux maître de la fin du quinzième lorsque, tout jeune, il accompagnait son père en voyage. Peut-être avait-il ressenti, face à ces images d'enfants-femmes aux grands pieds et aux tout petits seins, sa première émotion érotique ? Ce n'était pas la nudité des corps qui l'attirait, mais ces visages pubères d'un autre monde qui semblaient vous convier à mourir en vous aimant. Leurs regards ne cherchaient pas à dissimuler leurs desseins meurtriers ; toutes semblaient toujours affûter quelque lame pour mieux vous trancher la gorge. La petite Clara dégageait cette même secrète barbarie qui la distinguait des autres dont les visages quelquefois plus jolis tentaient d'afficher un sourire avenant.

La plus énigmatique des héroïnes du vieux Cranach restait encore la petite Salomé qui passait devant la table de son père Hérode, portant fièrement l'assiette dans laquelle reposait la tête du Jean-Baptiste qu'elle venait de faire décapiter. Son visage exprimait le ravissement du festin qu'elle s'était ainsi préparé. Il se rappelle qu'il n'avait pu détacher son regard d'adolescent du martyr, lequel semblait ne pas pouvoir arracher son propre regard de celle par qui la mort lui avait été donnée. Jean-Baptiste paraissait avoir été proche de l'extase avant de succomber, les yeux tournés vers elle. Son père avait eu beaucoup de peine à éloigner Nathanaël de la contemplation du tableau.

Le pianiste, que mademoiselle Serane vient de

désigner par le prénom de Christophe, reprend le morceau précédent.

– Ne vous raccrochez pas aux barres, les enfants ! La main légère ! La barre n'est pas une canne ! Plus étiré, le corps !

La régularité des exercices apaise peu à peu Nathanaël. Il repense à la cohue devant les Galeries Lafayette, contrastant si fort avec cette atmosphère de silence et de travail. Ces dizaines de corps pliés à la même discipline, aux mêmes mouvements reproduits avec ensemble, le troublent. Il tourne la tête vers la gauche afin d'observer fugitivement l'assistance et surprend quelques regards de femmes. Curieusement, d'ailleurs, il n'y a que des femmes sur cette galerie ! Mon Dieu, il a oublié la cliente de son père... Comment la reconnaître ? L'espace de quelques minutes, il « s'est oublié lui-même », comme dit le poète, ce qui ne lui est pas arrivé depuis des années. S'agit-il de cette grosse jeune femme réjouie, là-bas, ou plutôt de cette grande à lunettes, ou encore de cette autre, assise, qui paraît corriger des devoirs ? Comment peut-on faire ici autre chose que regarder et écouter la danse, voilà qui laisse Nathanaël interdit... Ah, cette femme qui lui sourit... Son œil exercé distingue aussitôt l'élégance discrète de la bourgeoise aisée qui a l'habitude d'être partout dans le ton. De beaux yeux bruns, une chevelure d'un brun-roux travaillé, admirablement mise en pli, la peau soignée – oui, ce ne peut qu'être elle, madame Talleyrine. Mais qui est sa progéniture ? Ah, la rousse à côté de Clara, sans aucun doute, qui s'applique en serrant les lèvres, ce qui lui gonfle les joues dans une drôle de mimique.

Nathanaël commence discrètement à s'installer plus à son aise sur la dernière marche de l'escalier. Il détaille les enfants, mais revient sans cesse à Clara qui danse *autrement.* Il ne pourrait en énoncer la raison, mais elle semble dialoguer avec l'Invisible. Chercher, par ses gestes, à attendrir quelque terrible divinité à qui elle s'adresse, énigmatique au reste des simples mortels. Par contre, certaines fillettes décochent de furtives œillades vers leurs mères respectives pour quêter une approbation, tandis que d'autres regardent leurs pieds, malgré les remontrances de mademoiselle Serane. Quant aux garçons, ils se surveillent entre eux, hormis un plus petit qui vient de se faire reprendre pour la seconde fois pour son indiscipline. Il ne se concentre pas suffisamment, dit le professeur, et manque les pas.

Un détail vient d'attirer l'attention de Nathanaël. Entre les exercices, lorsque le piano se tait, aucun enfant ne s'adosse aux barres, tous écoutent leur professeur, colonne vertébrale rigide, tête dressée, jambes collées l'une à l'autre, yeux bien ouverts. Ainsi Nathanaël découvre qu'il est un endroit dans Paris où des enfants, par un bel après-midi d'avril, s'enferment dans un sombre studio pour se plier à une ascèse immémoriale. Il sait déjà qu'il va revenir d'autres fois se réfugier dans cette salle vétuste dont le papier peint se décolle mais qui, dans cette enveloppe jaunie, abrite l'esprit du cœur, semblable en cela à une lettre d'amour : celle, peut-être, qu'il ne saura lui-même jamais écrire.

Mademoiselle Serane vient d'ordonner de ranger les barres. Jamais il n'a vu jusqu'ici de barres pareilles à celles-ci. Il faut dire qu'il ne fréquente guère les danseurs. Certes, il a jeté un coup d'œil sur les peintures de Degas, mais sans s'y attarder outre mesure. Habituellement, les barres, lui semble-t-il, sont accrochées le long des murs. Longues, elles courent comme les lisses d'un navire ; les danseurs y posent leurs pieds ou leurs mains. Il y en a également dans ce studio, mais les barres que remisent en ce moment même les petits dessinent au milieu du studio un grand rectangle analogue à un parc à bébés géants. Nathanaël trouve qu'il y a d'ailleurs quelque chose de disproportionné entre ces frêles corps d'enfants et la musique qui les enlève vers l'immensité de leurs rêves, oiseaux sauvages emportant entre leurs pattes leurs barreaux de prisonniers. Cela fait longtemps que quelque chose d'autre que les livres ne l'a pas amené, comme en cette minute, à considérer le monde sans ironie.

Aidés du professeur, les enfants démantèlent l'enclos et emportent les uns après les autres les éléments démontés. Enfin, mademoiselle Serane attache les barres toutes ensemble avec un de ces gros élastiques dont usait l'adolescent qu'il était pour accrocher ses affaires sur la vieille bécane que lui prêtait autrefois son grand-père paternel, à Chantilly. Puis elle disparaît brusquement par une porte sans doute située au-dessous à gauche, découpée dans un miroir dont il ne voit rien, caché qu'il est sous la galerie où lui-même se tient, mais dont les regards des enfants, toujours tournés vers ce quatrième mur, lui ont révélé l'existence.

À nouveau, il a chaud. Apparemment, il y a une pause et il en profite pour se défaire doucement de l'imperméable qu'il a gardé sur lui et le déposer, plié, à ses pieds. Madame Talleyrine lui adresse un léger signe.

Il s'est attendu non sans agacement à ce que chacune ou chacun se mette aussitôt à pérorer, mais, curieusement, le silence persiste même après le départ du chat – c'est-à-dire du professeur. À sa grande surprise, les petites souris roses s'alignent contre le mur du fond, sans souffler mot, rebelles silencieuses prêtes à être possiblement fusillées. Les garçons les rejoignent avec plus de lenteur. Tout le monde attend. La frimousse rousse s'est remise à côté de Clara comme si cette dernière la protégeait. Il découvre enfin le pianiste qui se dégourdit les jambes, décrit un cercle dans le studio, esquisse un rapide signe de la main à l'intention d'une ou deux mamans – mais à la dérobée, comme s'il craignait lui aussi d'être surpris dans une attitude non réglementaire.

Nathanaël réfléchit au personnage de mademoiselle Serane tout en surveillant Clara qui paraît absente, comme en proie au sommeil. Des ondes de tristesse affleurent sur le visage de l'enfant, pareilles à d'éphémères nuages dans un ciel clair, mais, même ainsi, elle attire le regard. Pourquoi tous semblent à ce point redouter mademoiselle Serane ? Pourtant, elle ne hurle pas, ne menace pas. Il y a d'abord cette voix rauque à travers laquelle chacun, si ignare soit-il, perçoit d'emblée une inflexible exigence. Ce n'est pas elle qui cédera un pouce de terrain pour vous séduire. La Danse l'habite, lui donne cette force intérieure qui trace autour d'elle ce cercle d'où le compromis et l'à-peu-près sont exclus. Madame Talleyrine lui a dit au téléphone qu'elle était la meilleure à Paris pour le placement des enfants. Nathanaël n'avait pas bien compris ce que venait faire ici la notion de *placement*. S'agissait-il de trouver un emploi pour ces enfants, comme jadis aux filles « montées » de province ? Était-ce un terme de danse qu'il ne connaissait pas ?

Voici qu'il aspire maintenant à mieux découvrir cet art. Il devient tout excité, comme un enfant à la promesse d'un cadeau longtemps désiré. Il faut qu'il se calme ! Peut-être demain aura-t-il tout oublié ?

Il se compare à ces croyants qui ne prient jamais et pensent rarement à Dieu : il suffit d'une cérémonie à laquelle ils sont obligés d'assister, et, à cause d'un enterrement, d'un mariage, d'une musique d'orgue qui déferle ou murmure, là-bas, derrière eux, dans l'ombre secrète, les voilà qui se sentent élus par l'Invisible, justifiant ainsi leur insipide prétention, leur manque d'assiduité.

Il n'est décidément qu'un mondain caressant le monde de sa main désabusée.

Mais elle est là. Clara le regarde juste à cet instant de ses yeux transparents d'eau sans fond. À la seconde même, il se sent simplement heureux. À cause de ce regard qui, pourtant, n'a fait que l'effleurer. Il remarque qu'elle n'a pas adressé un seul coup d'œil aux femmes perchées sur la galerie. Qui peut bien être sa mère ? Il n'arrive à apparier aucun visage au sien.

Un frémissement. Une porte s'ouvre, mademoiselle Serane rentre et il l'aperçoit enfin qui se dirige vers le fond. Ses cheveux sont coiffés à la façon de ceux d'un page, mais sans frange, comme Emily

Brontë. Jamais il n'a très bien compris pourquoi Emily Brontë, écrivain du dix-neuvième siècle, osa se couper les cheveux ainsi. Il aime beaucoup ce portrait d'elle réalisé par son frère.

À sa vive surprise, le professeur se met à compter danseurs et danseuses alignés devant elle : « Un, deux, trois, quatre... » Parfois, les enfants eux-mêmes disent leur numéro. Craint-elle d'en avoir perdu un en son absence ? Trente-sept ! Voici maintenant qu'elle les appelle un à un par leurs prénoms. Clara est nommée la troisième et vient se placer à côté de Laure, désignée la première. Heureusement, de là où il se tient, il peut encore la voir aisément.

Les petites ont été réparties en deux groupes. Clara figure dans le premier, qui semble plus avancé que le second et sert en quelque sorte d'exemple au détachement suivant. Les trois garçons, eux, ne sont pas astreints aux mêmes exercices.

Nathanaël se familiarise peu à peu avec les mouvements. En fait, jamais il n'a encore réfléchi à la danse et aux danseurs, à leur formation. Pour la première fois, il découvre qu'il y faut une intelligence de son propre corps, une connaissance de son architecture, une intuition de son équilibre. Un exercice retient en particulier son attention, au point qu'il en oublie le monde alentour : la pirouette ! Cela semble si facile... Les petites tournent sur elles-mêmes ; aucune n'est juchée sur pointes, et Nathanaël en est surpris. Est-il donc bien dans un cours classique ? Il se rassure en apercevant près du mur des dizaines de petits chaussons roses au bout droit pareil au nez mal refait de certaines personnes. Heureusement, se dit-il, Clara n'est pas dotée d'un de ces petits bouts de nez qui, en vieillissant, ratatinent le visage. Il observe le profil majestueux de la jeune danseuse sans se décider encore à la trouver ni laide ni belle. Différente, oui ! Quelque chose achève de l'émouvoir : au moment où Clara se prépare à accomplir sa pirouette pour la quatrième ou cinquième fois, au-dessus du sourcil gauche, un frisson trouble son front blanc (il n'avait pas encore remarqué à quel point sa peau est blanche, transparente), et cet imperceptible tremblement lui révèle mieux qu'une longue conversation la profondeur de cette âme d'enfant. Il ne saurait expliquer pourquoi, mais ce trouble infime au-dessus du regard, sur la page blanche du front, lui traverse le cœur avec la même force implacable qu'un beau vers de Racine ou qu'une mélodie de Mozart.

Clara ! Et d'effectuer sa pirouette pour la cinquième fois au moins.

Cela semble si facile – mais semble seulement ! Car presque aucune autre petite fille n'y parvient. Enfin si, plus ou moins. Certaines prennent leur envol, mais restent comme fichées au sol, roses pélicans perchés sur une patte, et leurs moignons d'ailes se referment tristement sur leur corps qui titube. Nathanaël s'essaie mentalement à l'exercice, suspendu aux explications du professeur.

– Voyons ! Le pied de position sert de pivot, je me prépare. Je fléchis le genou et je me propulse sur ma jambe gauche en arrière. Bon ! Jambe droite en avant, je prends bien ma position et hop ! je me propulse sur le pied gauche, mon pied droit replié, et je tourne en même temps – et je tourne... Mais, avant tout, je dois m'étirer !

La plupart n'arrivent pas à tourner, d'autres font bien un tour mais s'écrasent à l'atterrissage.

Mademoiselle Serane évoque des spirales de fumée : il faut s'élever, tendre vers le ciel. Une image s'impose à lui ? Il est chez sa grand-mère paternelle, encore assez petit – six, sept ans ? Sur le haut du piano, éclairé par un rayon de soleil, se détache une danseuse qui semble émerger de l'eau laquée d'une boîte noire. Il y a comme des plumes blanches autour d'elle. Il revoit très bien la scène – ou peut-être la lui a-t-on racontée plus tard. Il s'est hissé sur le tabouret, a posé son nez sur l'immuable napperon poussiéreux qui couvrait le dessus du piano droit. Ainsi la danseuse, tout près de son visage, se reflétait-elle dans une sorte de miroir. Il avait esquissé un geste pour la prendre et l'emporter. Heureusement, sa grand-mère Antoinette avait surgi à temps. Qu'allait-il faire ? « Nathan ! » Elle l'appelait toujours Nathan, ce qui énervait Amédée, son mari. « Ce petit s'appelle Nathanaël », corrigeait-il aussitôt.

« Nathan, on ne touche pas à la petite figurine. Mais, si tu es sage, si tu n'approches pas tes mains, je te ferai entendre ma danseuse... » Antoinette avait sorti une clé enfermée dans le tiroir d'un guéridon chapeauté d'une lampe elle-même coiffée d'un abat-jour rosé à glands vert pâle. Avec cette clé, elle avait remonté un mécanisme situé sur le côté de la boîte, et la mince danseuse avait chanté un air aigu qui tenait plutôt de la plainte d'un oiseau en train de mourir. Plus tard, revenant chaque année chez ses grands-parents, il avait fini par découvrir qu'il s'agissait de *L'Heure exquise*. Un jour, la musique s'était brusquement déréglée. La danseuse s'était mise à tourner, tourner de plus en plus vite ; l'enfant avait pris peur de cette voix affolée et s'était cramponné à deux mains aux candélabres vissés sur le piano, lesquels avaient cassé net. Nathanaël s'était littéralement écrasé le nez sur le couvercle du piano. Il en gardait encore une légère cicatrice qu'il caressait parfois du doigt et qui rompait à ravir l'harmonie de son visage. Pauvre Antoinette, elle avait eu si peur du sang, et qu'il fût défiguré, que les candélabres avaient été réparés sans regrets ni reproches.

Le second groupe s'essaie à son tour à la difficile pirouette. Sans grande conviction.

– Il faut s'élever, s'élever ! Étirez-vous !

Mademoiselle Serane montre, explique, prend une petite par la taille, étire son buste comme si elle rêvait d'assister une bonne fois à l'envol d'une de ses danseuses !

Il aperçoit Clara qui se prépare. Contrairement à certaines, lorsque le premier groupe attend le second, elle-même ne cesse pas de s'exercer. En fait, elles sont trois à ne point prendre de repos entre les exercices. Clara vient de s'élancer et Nathanaël peut alors avoir notion de ce qu'est une pirouette réussie. L'espace de quelques secondes, on dirait qu'elle ne touche plus terre ; elle s'élève et, curieusement, le mouvement semble s'accomplir au ralenti, comme si elle retenait le temps entre ses bras. Nathanaël aperçoit sa petite tête qui se détache du reste du groupe. Elle pivote entre ciel et terre et se repose avec douceur sans vaciller d'un centimètre. La joie rosit son visage :

elle sait qu'elle vient de réussir. Mais personne ne l'a vue, à part Nathanaël. L'attention de mademoiselle Serane est concentrée sur le second groupe qui vient justement de finir l'exercice.

Premier groupe ! Pirouette ! Nathanaël attend, le cœur battant, la nouvelle démonstration de Clara, mais celle-ci penche vers la droite, ce qui précipite la fin de son mouvement. La beauté n'est plus au rendez-vous. D'une seconde à l'autre, le même geste, accompli par le même être, peut exprimer l'éternité de l'art ou la difficulté de l'effort humain. Le salut ou la chute de l'Ange.

C'est à cet instant que Nathanaël commence à s'éprendre de l'art de la Danse. À cause de cette scène et sans doute grâce à elle, la petite Clara.

CHAPITRE 3

Les mères

Elle était sagement assise derrière lui dans la grosse cylindrée. Tout cela était insensé ! La petite Clara était bel et bien avec lui, à bord du même véhicule. Quelques heures auparavant, il ne soupçonnait même pas qu'il existât quelque part au monde une Clara Isella – c'est sous ce nom qu'elle lui avait été présentée. En ce moment même, il s'occupait à sentir son souffle lui effleurer le cou. Elle ne prononçait pas un mot. Quant à lui, il avait bien du mal à se concentrer et à répondre avec naturel à madame Talleyrine. Heureusement, sa fille Viviane parlait pour eux tous. Parfois, sa mère la reprenait avec gentillesse, car la petite, sans être mal élevée, avait un irrépressible besoin d'exprimer ses impressions du moment.

– Dis, maman, tu crois que Clara pourra venir ce soir ?

– Non, ma chérie. Sa mère n'aime pas la laisser éloignée trop longtemps, et puis elle se lève tôt demain matin.

– Moi aussi, riposta la petite avec vivacité.

La rousse Viviane était déjà en train d'échafauder d'autres plans. Et samedi prochain ? Aux vacances de Pâques ? Clara ne proférait toujours pas un mot. Nathanaël aurait donné cher pour être assis à l'arrière et capter les regards de la fillette.

Déjà, sans les consulter, le Destin, de son doigt aveugle, avait saisi le seul fil qui les tenait désormais réunis, lui et cette petite Clara.

Était-ce de se laisser conduire par cette madame Talleyrine qui, par chance, n'avait pas l'âge d'être sa propre mère, ou bien la découverte du cours de danse, ou encore la simple présence de Clara ? Nathanaël se sentait affable et détendu. Il était presque content d'échapper ce soir-là à ses lectures. Peut-être ces deux enfants avaient-elles rendu au monde un peu de sa candeur ?

Tandis que Viviane continuait d'interrompre sa mère, l'empêchant de trop dialoguer avec lui, il repensait à la fin de la leçon.

Il y avait eu d'autres exercices : arabesques, sauts de chat. Nathanaël s'accrochait à ces expressions inconnues comme un voyageur égaré en pays étranger. Ce que faisaient les garçons lui avait paru encore plus singulier. Enfin, mademoiselle Serane avait annoncé « Port de bras » et les deux groupes s'étaient rassemblés pour une belle révérence. L'exercice final lui avait du moins rappelé ces goûters d'enfants où sa mère avait tenté de l'envoyer et où d'horribles petites pimbêches esquissaient des révérences en s'accrochant à leurs robes gonflantes pour ne pas tomber.

Cette fois, tout était bien différent. Avec ensemble, les enfants accomplissaient les mêmes gestes, l'air d'oiseaux fragiles en train de s'endormir, le cou replié sous une aile. Puis elles s'étaient immobilisées, comme sur le point de s'agenouiller, et tout s'était arrêté : le piano, la voix du professeur, le bruit des pas, pour laisser le silence grandir. Un vrai silence sans cauchemars, sans peurs, et Nathanaël s'était mis à son tour à rêver.

Seul devant l'Océan, dans le soir qu'il tirait à lui comme ces couvertures moelleuses qui vous rassurent, il regardait, il regardait pleinement, comme on écrit. Plus de cris, plus d'envols, plus de disparitions. Les oiseaux s'étaient assoupis çà et là sur la plage et il veillait sur le monde infini.

« *Et ce fut le premier soir et le vent de Dieu tournoyait sur les eaux...* »

– Merci, dit mademoiselle Serane.

Nathanaël s'ébroua, arraché à sa vision de la naissance du monde.

Enfant, il avait été passionné par les débuts de la Genèse que sa grand-mère maternelle lui lisait le soir :

« *Au commencement, Dieu créa le ciel et la terre.*

« *Or, la terre était vide et vague, les ténèbres couvraient l'abîme, le vent de Dieu tournoyait sur les eaux...* »

Un centième de seconde avant la Création !

Les enfants applaudissaient mademoiselle Serane comme au spectacle et il se rendit compte qu'il était fourbu, comme s'il avait lui-même dansé. Sa nuque était raide, et plus encore maintenant qu'assis à l'avant de la voiture il avait une conscience aiguë de la présence de Clara, derrière lui, droite comme une enfant sage.

– Vous n'avez pas été trop bousculé à la fin du cours ?

Madame Talleyrine essayait d'interrompre sa fille et de renouer le dialogue avec lui.

Il murmura un non-non poli qui n'ouvrait guère la conversation.

De fait, le cours tout juste terminé, les applaudissements éteints, les gosses avaient monté quatre à quatre le petit escalier en haut duquel il se tenait ; et il avait à peine eu le temps de se plaquer contre la balustrade pour éviter de se retrouver entre la bousculade des enfants affluant vers le vestiaire, à l'autre bout de la galerie, et les mères refluant vers la sortie. Heureusement, madame Talleyrine l'attendait avec flegme, sans changer de place, lui faisant signe de ne point bouger. Les yeux de Clara avaient croisé les siens, une fois encore. Tout près, si près ! Elle l'avait frôlé au moment où il tournait la tête. La nudité de ce clair regard l'avait embarrassé comme si lui-même avait cherché à dissimuler quelque chose, puis il avait aperçu le dos maigre où saillaient deux omoplates disparaître dans la cohue. Il ne supportait déjà plus de la perdre.

– Si cela ne vous ennuie pas, je vais me garer au coin de la rue pour raccompagner Clara jusque chez elle. Viviane restera avec vous. N'ennuie pas trop monsieur Vosdey avec tes questions !

Par politesse, Nathanaël sortit aussitôt de la voiture pour aller tenir la portière à madame Talleyrine, mais aussi pour dire au revoir à Clara. Celle-ci embrassa Viviane et sauta sur le trottoir. Il sentait qu'elle avait hâte de retrouver sa mère. Elle lui fit un signe rapide qui voulait aussi bien dire « Au revoir » que « Ne m'approchez pas ». La toucher, même pour lui serrer la main, fût revenu à enfoncer ses doigts dans une prise de courant. Il aurait eu garde d'essayer. Elle n'avait pas relevé les yeux. Ses longues jambes minces prises dans un jean noir, elle était déjà loin. Il ne faisait pas partie de la vie qui intéressait cette petite fille. Jamais il ne s'était senti aussi pris au dépourvu. Il était inapte.

Sensation insupportable ! En rage contre lui, il se haïssait. Il n'était pas à la hauteur. Cela ne lui était jamais arrivé. Il aurait tant voulu impressionner Clara, capter son intérêt. Qu'allait-il faire de sa vie, maintenant ? Il fallait à tout prix courir après elle, la persuader. De quoi ? Qu'il était unique. Qu'est-ce qu'il pourrait bien être d'autre pour une fillette de douze ans ? Elle avait sûrement un père, une mère, des camarades, Viviane, un cousin, un danseur, une idole. Non, il n'y avait aucune place pour lui. Aucune, à jamais. Est-ce cela, l'amour ? S'apercevoir qu'on est inutile, de trop, un cœur surnuméraire, au chômage ? En quelques instants, oui, il était devenu un chômeur de l'amour. Il avait beau proposer toutes ses capacités, cela n'intéressait pas. La porte s'était refermée. Il était à la rue.

On tapait contre le carreau. À l'intérieur de la voiture, une petite fille rousse lui faisait des grimaces. Il s'approcha. Il devenait semblable à ces clochards qui appuient leurs visages bouffis contre la vitre des cafés. Il n'oserait plus rentrer nulle part. Il esquissa une pirouette dans la rue, pour se moquer, faire rire l'enfant rousse ou toucher quelque part la disparue. Vieux clown qui s'essaie à danser. Viviane applaudit, il recommença. Les passants le dévisageaient, incrédules.

Cela l'excitait davantage. Il fit deux pirouettes d'un coup – deux pirouettes ridicules, trop rapides, comme le débit d'un robinet qui cède d'un coup. Viviane éclaboussait la vitre de rires muets. Il la séduisait pour se venger de Clara. Demain ou plus tard, elle lui raconterait la fantaisie de ce vieux garçon : peut-être ne mourrait-il pas tout à fait dans le souvenir de Clara ? Peut-être aimerait-elle mieux le connaître ?

– Mais que faites-vous ? On dirait tout à fait votre père...

Madame Talleyrine était revenue sans qu'il s'en aperçût et le surprenait le pied en l'air, prêt à accomplir ce que mademoiselle Serane appelait une arabesque.

– Gabriel était aussi fou que vous. Pour faire rire un enfant, il aurait été prêt à tout. Vous êtes des hommes rares, et vous ne le savez pas. Du moins ai-je la chance de vous garder pour la soirée.

Il s'inclina, ouvrit la portière, attendit qu'elle se fût installée au volant puis, en souriant, revint à sa place après un clin d'œil à Viviane qui, déjà, ne le quittait plus des yeux.

– Pardonnez-moi de vous avoir fait un peu attendre. J'aime beaucoup Clara. Sa maman est très malade. Le cancer ! Il n'y a pas de père. Je la raccompagne lorsque sa mère ne peut venir la chercher.

Nathanaël apprécia cette profusion de détails. Il n'eut même pas le temps de s'apitoyer. Quelqu'un venait de lui lancer un seau d'eau à la figure ; il essayait de reprendre souffle. Il parvint à articuler avec courtoisie :

– Où allons-nous dîner ?

Que dire d'autre ? Gagner du temps. Proférer des choses anodines alors qu'il avait envie de hurler, de s'élancer vers Clara, de changer d'un coup de baguette magique l'insondable routine de cette vie étriquée qui trottinait vers une mort annoncée, satisfaite de cueillir bientôt ses dividendes.

– C'est pour cela que la petite souhaite quitter le moins souvent possible sa mère. Madame Isella lui a encore dit tout à l'heure : « Tu aurais dû aller dîner avec eux. Il suffisait de me téléphoner. »

Nathanaël ne prononçait plus un mot. Que demander de plus, surtout en présence de Viviane ? Des détails ? Quelle sorte de cancer ? Le temps qu'il lui restait à vivre ? Heureusement, Viviane intervint. Elle sentait qu'elle seule se devait de trouver une diversion, puisque les adultes se débrouillaient mal avec la mort qui leur empêtrait bras et jambes au lieu de les décider à vivre plus légers.

– Pourquoi avez-vous l'air d'un Indien ?

– Viviane !

– Non ! Laissez-la...

Nathanaël avait besoin de cette curiosité.

– Un Indien ? Tu veux dire un Peau-Rouge ou bien un habitant de l'Inde ?

– Un habitant de l'Inde ! Quoiqu'avec des plumes vous seriez très beau.

– Viviane ! Excuse-toi !

– À leur âge, nous nous exprimions avec la même simplicité, dit-il. Je me demande même si cela ne nous permettait pas d'aller encore plus loin en imagination. Les autres races nous fascinaient comme autant de voyages interdits, alors qu'aujourd'hui, sous prétexte de ne pas souligner les différences, chacun fait tout ce qu'il peut pour se couler dans le même moule !

– Vous aurez beaucoup de mal à vous couler dans le moule, ça se voit tout de suite. Moi, en revanche, je suis déjà en route pour la cuisson !

– Pas du tout.

– Vous avez vu mes kilos ?

– Vous avez de l'humour : ça ne rentre pas dans le moule !

Ils rirent légèrement, car, entre les fines gouttelettes de leurs plaisanteries, ils n'avaient pas perdu de vue l'issue de la maladie qui promettait de les réunir à nouveau dans un avenir proche. La maman de Clara était menacée ; ensemble ils allaient devoir lutter.

– Où voulez-vous dîner ? J'ai retenu dans un endroit que j'aime, mais on peut encore annuler.

– Puisque vous conduisez, répondit Nathanaël, je vous laisse le choix. Mais vous êtes mes invitées : j'y tiens, en souvenir de Gabriel. Et attention, il n'aimait pas faire les choses à moitié !

En pénétrant dans le restaurant, Nathanaël découvrit à quel point il avait déserté les endroits à la mode et la vie en société. Il titubait comme au sortir d'une longue maladie. Il connaissait cet établissement qui dominait Paris, mais il avait perdu l'habitude de ce bruissement de mouches dans la pénombre, des feux follets des lampes de table, des éclats de rire par-dessus la nappe, de l'entrechoquement des couverts et des assiettes. Maintes fois, jadis, il avait sorti des amis jusque très tard dans la nuit. Ce soir, d'une certaine façon, il refaisait ses débuts dans la société des vivants, et ce nouvel apprentissage était dur. Heureusement, Clara l'accompagnait, nouvelle Béatrice au cœur du sombre royaume.

Le dîner était délicieux, même s'ils discernaient à peine ce qu'ils avaient dans leur assiette. Ses convives étaient agréables. Bien que bavarde, la petite savait se tenir. On sentait l'enfant habituée à voyager, à suivre sa mère dans les grands hôtels, les réceptions. Elle était parfaitement bilingue, maniant avec la même aisance le français et l'américain, et la danse l'intéressait vraiment, quoiqu'elle laissât entendre avec un brin d'émotion dans la voix qu'elle ne deviendrait jamais « une grande danseuse comme Clara » ; peut-être serait-elle comédienne ou bien mannequin ?

– Tu n'en sais rien, Viviane. Pour le moment, tu apprends. Clara n'est pas plus rassurée que toi.

– Oui, mais elle se ferait tuer plutôt que d'arrêter. Moi, je n'en suis pas très sûre, parce que j'aime bien sortir et voyager avec toi.

La maman rit avec douceur. C'était une femme – Nathanaël le sentait – qui avait laissé de nombreux projets de côté. Elle n'essayait ni de réformer le monde, ni de se plaindre, ni d'encourager sa fille plus que de raison. Elle était bien élevée, jusqu'au bout des ongles. Il apprit par elle que son mari avait de « grosses affaires » ; il en déduisit qu'il tenait à sa famille, mais sans faire aucun effort pour le montrer. Il était rarement là, puisque sa femme l'attendait sans faillir. Le fils aîné était casé dans quelque collège anglais et madame Talleyrine était venue s'installer en France pour, une fois encore, les « affaires de son mari ».

Nathanaël appréciait de dîner avec cette femme qui ne le forçait en rien – pas même à soutenir la conversation. Elle donnait les détails qu'il fallait, sans plus.

La petite avait rencontré Clara un mois auparavant, et, immédiatement, Viviane n'avait plus pu se passer d'elle. Elle était en admiration devant son amie.

– Enfin, vous savez... Quand j'ai compris la situation, j'ai tout fait pour les soulager un peu en m'occupant de raccompagner ou d'inviter Clara, mais ce n'est pas facile, car la petite est vite sur la défensive. Heureusement, elle se sent bien avec Viviane, et sa mère est une femme très attachante.

Elle expliqua comment Louise – ainsi s'appelait la maman de Clara – l'avait à son tour beaucoup aidée à supporter l'angoisse de la danse.

– Comment cela ? Quelle angoisse ?

– Chez les mères, cela débute sournoisement, puis, peu à peu, le mal gagne l'être entier et empoisonne la vie. Pardonne-moi, ma petite Viviane, je le dis avec humour. Au début, votre enfant danse et veut danser. Bon ! C'est excitant, mais c'est là que tout commence... Le lien entre la petite fille et la maman se distend brutalement. Qu'elle ait huit ou onze ans, comme elles deux, vous n'avez plus devant vous votre enfant, mais *une danseuse*, comme elle vous le répète ! C'est-à-dire une gosse qui s'est métamorphosée, sans prévenir ! Peu importe l'avenir puisque, par un tour de passe-passe, il est derrière elle et vous...

– Derrière ?

– Votre fille ne se pose plus aucune question sur le lendemain. Elle sera danseuse, vous entendez ! Son chemin est tout tracé. À vous de remplir les cases manquantes. Une marelle d'enfer commence. Essayer l'Opéra ? Trouver les cours, surveiller le poids, se procurer les filets pour les cheveux, la laque, les collants, les chaussons ! Et les études ? Tout le monde s'en mêle, mais les mamans restent avec tous ces problèmes à résoudre sur les bras. Derrière leur « Je veux être danseuse », les enfants sont en réalité les plus angoissées. Les seules à le supporter sont à mon avis les mères inconscientes ou égoïstes – les sottes !

– C'est-à-dire ?

Nathanaël s'amusait du récit de madame Talleyrine parce qu'il décelait chez elle une solide dose de bon sens.

– Les mères qui voulaient jadis être danseuses et qui foncent non pour leur enfant, mais pour elles-mêmes. L'enfant suit peu ou prou, comme un chiot. Par moments il s'étrangle ; à d'autres il gambade. La mère ne se rend compte de rien. Elle se voit déjà *étoile* à travers sa fille, mais cela cause bien des drames !

– Et Clara ?

– Clara est à part. C'est une enfant solitaire. Je n'ai jamais bien compris si son père avait disparu ou s'il était mort. Il ne vient jamais. Louise m'a parlé un jour d'un violoniste. Parfois, j'ai l'impression que c'est Clara qui élève Louise, et non l'inverse. Pas de famille, pas d'amis. Je n'ose me renseigner. La mère de Clara n'est guère bavarde et je ne veux pas me montrer indiscrète.

Ils avaient commandé un excellent bordeaux, mais, à l'instant où le maître d'hôtel faisait goûter le vin à Nathanaël, le visage de Clara vint s'inscrire de but en blanc à la surface du breuvage.

– Sa mère exerce un bon métier ? questionna Nathanaël, troublé.

– J'ai compris qu'elle était traductrice, répondit madame Talleyrine. Ou bien adaptatrice...

– Maman, interrompit Viviane, j'aimerais bien que Nathanaël vienne dîner avec nous samedi !

– Pardonnez-lui ! Ma fille n'imagine pas que les autres puissent être occupés. Viviane, nous lui prenons déjà une soirée ! Vous devez avoir un grand nombre d'amis ou d'obligations plus importantes...

Viviane regarda Nathanaël droit dans les yeux. La petite fille un peu rondelette avait des pupilles pareilles à celles des ours en peluche.

– Oui, mais nous sommes bien plus drôles ! enchaîna-t-elle derrière sa mère.

Nathanaël rit de bon cœur. Elle était vraiment *trop*, comme disaient les jeunes autour de lui. Sous l'éclat de la bougie, ses taches de rousseur illuminaient son visage comme des paillettes d'or.

– Pour cela, elle a raison ! dit Nathanaël, essayant de rassurer la maman inquiète.

– Eh bien, annulez vos rendez-vous ! Ils peuvent attendre. C'est bien plus important de venir avec nous !

Nathanaël perçut dans la voix de Viviane le léger frémissement qui révélait une secrète angoisse. Cela le décida tout à fait.

– D'accord ! Je viendrai samedi.

– Viviane, s'exclama madame Talleyrine, tu n'aurais pas dû abuser ! Méfiez-vous de la volonté d'accaparement de ces enfants.

– Pourquoi ? répondit-il sans penser davantage à ce qu'il disait. Eux seuls risquent encore de faire bouger quelque chose en nous !

– Vous m'avez l'air bien résigné pour votre âge...

– Quel âge as-tu ? interrogea impulsivement Viviane.

– Viviane ! coupa de nouveau sa mère.

– Non, laissez-la ! Trente et un ans.

Il n'ajouta pas que c'était justement son anniversaire ce soir-là. À quoi bon ?

– Mais tu es vieux ! s'étonna l'enfant en dilatant avec impertinence ses fossettes tachetées de son.

– Ho !

Nathanaël éclata d'un rire franc au cri poussé par madame Talleyrine devant l'impolitesse de sa fille. Elle essayait de trouver quelque chose à dire pour sauver la situation quand Viviane reprit du même ton :

– Mais tu es quand même beau ! Tu ne m'as toujours pas dit pourquoi tu étais comme les Indiens...

– C'est une longue histoire, et tu risquerais de t'endormir avant la fin.

– Raconte toujours !

– Mon arrière-grand-père maternel a émigré aux États-Unis en 1849.

– Il s'appelait comment ?

– Boris Miloukov. Il s'est installé en Californie. C'était la grande époque de la ruée vers l'or.

– Tu es très riche, alors ?

La petite fille était de plus en plus excitée. Elle en oubliait de manger ce qu'elle avait commandé.

– Tais-toi un peu et écoute, gémit avec gentillesse sa mère.

– Cela se passait il y a bien plus de cent ans. Tu te rends compte ! Un homme qui n'était pas mon arrière-grand-père décida de se rendre lui aussi en Californie. Il s'appelait le général Suter.

– Il était général ?

– Peut-être, mais un poète a écrit de lui : « Johannes August Suter, banqueroutier, fuyard, rôdeur, vagabond, voleur, escroc... » Au moment où l'histoire commence, il a trente et un ans.

– Comme toi, alors ?

– Si tu veux. Il décide de changer de vie. Il laisse sa femme et ses quatre enfants pour partir faire fortune, et s'embarque pour un très long voyage : le Mexique, puis l'extrême nord du Pacifique. Il rejoint là des goélettes russes qui faisaient régulièrement la traversée. C'est également là que mon arrière-grand-père s'est embarqué.

– Ton général était russe, lui aussi ?

– Non ! Il était originaire du duché de Bade. On dit qu'il avait été officier de la Garde suisse de Charles X.

– Évidemment, puisqu'il était suisse, il n'allait pas faire partie des gardes russes !

– Tais-toi donc un peu ! réinsista la mère de Viviane.

– Il longe les côtes de l'Alaska, descend, descend, et arrive enfin sur la plage perdue de San Francisco.

– Ce n'est pas perdu ! C'est en Amérique. J'y ai été. Il y a même *Marineworld* !

– Oui, petite, mais, à cette époque, il n'y a rien, sinon des requins qui t'auraient mangée toute crue comme je vais le faire si tu m'interromps encore !

Viviane, qui venait d'enfourner un gros morceau de pomme de terre, resta avec sa fourchette en l'air à se demander si Nathanaël était vraiment fâché.

– Bref, notre général s'installa en Nouvelle-Californie, faisant trafic de tout, et on lui concéda une trentaine de terrains dans la vallée de Sacramento.

– C'est beaucoup ? s'enquit Viviane d'une toute petite voix.

– Plus d'une centaine de kilomètres carrés. Il s'installa sur un monticule afin de surveiller le pays alentour et, bientôt, il fit élever un moulin sur la rivière de la Fourche pour actionner une scierie. Tu sais ce que c'est ?

Viviane le dévisagea comme s'il était le dernier des demeurés.

– Bon... Un jour, il entame des travaux ! Est-ce à cause de la pioche qui triture la terre, de l'averse qui s'abat sur le sol ? Ce jour-là, le sable du fond, remué, soulevé, laisse retomber autour de lui des paillettes d'or.

– Tout le monde se précipite ! s'écria Viviane.

Madame Talleyrine réprimanda sa fille tout en s'amusant de la réaction d'une de leurs voisines de table qui s'était levée à demi, croyant à un début d'incendie ! Heureusement, le sourire charmeur de Nathanaël lui fit pardonner le cri intempestif de la petite.

– Viviane, tout doux ! reprit-il. Essaie d'imiter le général ! Il s'évertue à cacher sa découverte et demande à ses compagnons d'en faire autant.

– Chut ! reprit la voix malicieuse de Viviane.

– Trop tard ! En l'espace de quelques semaines, des centaines d'aventuriers rappliquent, puis des milliers... « Tout ce qui peut marcher, écrit le général, se précipite chez moi. Tout mon domaine est ravagé, mon bétail abattu, les cultures écrasées... » Chacun cherche l'or. On vient de partout, d'Europe et même de Chine, car la nouvelle s'est répandue bien au-delà des frontières du pays. Les uns abandonnent leur travail, leur maison ; d'autres, des bandits, attendent cachés pour dépouiller les mineurs isolés et les assassiner dès qu'ils ont trouvé de l'or. Cette soudaine multitude rassemblée en un seul lieu provoque une famine que l'or amassé n'arrive pas à enrayer. Il n'y a plus ni transports, ni vivres, ni cultures. On dirait un essaim de sauterelles dévorant tout sur leur passage. Un œuf vaut cent fois sa valeur, le prix d'un cheval passe en une seule journée de quarante à cinq cents dollars. Naturellement, les maisons de jeu commencent à proliférer. Et c'est alors qu'arrive Boris, le fabricant de vodka !

Les yeux de la petite fille s'agrandirent, de plus en plus exaltés.

– Au milieu de cette folie, mon arrière-grand-père a tôt fait de comprendre qu'au lieu de l'or, il faut s'attacher à la terre, car elle seule triomphera de tout. Il cultive. Il travaille. Bientôt, il devient l'un des premiers épiciers du coin. Il ravitaille pendant que les autres piochent et creusent. Il a été élevé à la dure par son père, comme un serf, mais il sait fabriquer de la vodka ! Très vite, il fait fortune. Et puis, un beau jour, dans son établissement arrive la belle Râdha – du moins l'appelait-il ainsi. Pourquoi est-elle venue chez Boris, le vendeur de vodka ? Peut-être pour danser ? Pour gagner sa vie ? Mon arrière-grand-père ne se posa pas longtemps la question. Il l'épousa.

– Et ils eurent beaucoup d'enfants ! conclut Viviane.

Nathanaël sourit à la petite fille et, levant son verre, commença à réciter le poème indien que sa mère lui avait appris :

Si l'on aime Arjuna
On parvient au but suprême
Même si l'on est de basse caste
Vaïshya, shûdra, homme ou femme...

Viviane était sous le charme et, pour la première fois, se taisait. Il continua :

N'offrirait-on qu'une feuille
Une fleur, un fruit, de l'eau
On est sauvé
Pourvu que ce soit d'un cœur pur !

Il marqua une pause, puis, changeant de ton :

– Voilà, tu connais l'origine de ma peau sombre. Râdha était une danseuse hindoue. J'ai des croquis qui la représentent en train de danser. Ma mère est née avec une peau également très mate, et, curieusement, un grain de beauté au milieu du front.

– Et le général ?

– De plus en plus épuisé, il essaya de récupérer ses terres, mais il n'y avait pas encore d'État. L'Amérique était en train de racheter la Californie à l'Espagne. Enfin, bientôt, les choses s'organisèrent, mais le général Suter, ruiné, était devenu à moitié fou. Il fit un procès à l'État américain pour être indemnisé.

– Et alors ?

– Cela dura des années. Peu à peu, le général

ne put même plus payer ses avocats qui riaient de lui. Il devint une sorte de Don Quichotte. Seuls les enfants le défendaient tout en se moquant de lui. Pourtant, San Francisco commençait déjà à rayonner sur le reste du monde ! Sur les quais, des Sud-Américains, des paysans de Sibérie, des Asiatiques, des Suédois... Et même des femmes ! Les mineurs leur donnaient de jolis noms : Jeanne d'Arc, Marie-Pantalon...

– Marie-Pantalon ! reprit Viviane d'une voix suraiguë.

Le rire de Viviane ! Comme si des pommes dans un verger en plein soleil vous dégringolaient sur la tête. Sur ses joues rouges, les taches de rousseur en venaient à s'effacer.

– Et que lui est-il alors arrivé, à ce pauvre homme ? demanda madame Talleyrine.

– Le cerveau détraqué, il mêle sa propre histoire au récit de l'Apocalypse. Il vit à Washington où il ne cesse de courir de ministère en bureau. Dans son esprit, mais peut-être n'a-t-il pas tort, les enfants symbolisent l'armée des Justes... « Quand j'aurai gagné, leur crie-t-il, je vous donnerai tout l'or pur ! » Un jour, il croise un autre vieux toqué que des infirmiers embarquent à l'asile. Il le voit qui s'échappe et se met à ramasser dans la rue de la boue, du crottin, des immondices dont il se remplit la bouche et les oreilles. Horrifié, il reconnaît Marshall, son premier charpentier, qui lui lance : « Patron, tout est en or ! Tout est en or ! »

Viviane avait reposé la cuillère qu'elle tenait brandie dans l'attente du dessert. Les yeux lui sortaient de la tête.

Nathanaël poursuivit d'une voix chuchotante :

– Une fin d'après-midi, le général campe comme toujours sur les marches du Sénat. Il attend le résultat de son procès. Il attend. Le soleil commence à décliner. Il a soixante-treize ans. Il entend une voix d'enfant qui, de très loin, lui crie : « Général, général, tu as gagné ! Le Congrès va te verser des millions de dollars ! » Il entend alors un roulement terrible dans sa poitrine. C'est la parade, les armées défilent. Il tend le bras vers le gosse qui dévale vers lui les marches. Il pousse un grand merci vers le soleil qui explose dans sa tête, puis s'écroule. Dans sa chute, il entraîne avec lui le soleil. Il roule, roule, enveloppé d'un nuage de piécettes dont l'astre bienfaisant l'entoure une dernière fois. « Tout est de l'or ! » sanglote-t-il. Le gamin s'arrête, un sourire aux lèvres, et chuchote : « Général, général, réveille-toi ! » Derrière lui, d'autres continuent à faire les pitres et à grimacer à l'adresse de leur copain. Le Congrès n'avait même pas siégé ce jour-là...

– Au moins est-il mort heureux, observa Viviane d'une voix sourde. Cela aurait plu à Clara.

– Tu crois ?

Nathanaël se dit qu'il n'aurait pas osé raconter cette histoire devant Clara. Tout en se demandant bien pourquoi.

– Pas l'histoire du général Suter, enchaîna Viviane, mais le poème de Râdha. Tu me le recopieras ? Comment l'as-tu appris ?

– Il se trouvait dans les papiers de mon arrière-grand-père. Ces quelques vers valent toutes les lois de la Californie. Dire qu'une main a calligraphié ce vieux poème, une nuit, à la bougie, au milieu de toute cette foire d'empoigne...

– Tu me le recopieras ? Pour Clara, s'il te plaît...

– Je ne peux rien vous refuser, mademoiselle.

Nathanaël fit un clin d'œil à l'enfant comme pour sceller sa promesse. Il voyait à travers elle un autre regard d'enfant.

– Vous ressemblez beaucoup à votre père, remarqua madame Talleyrine. J'espère que vous ne m'en voudrez pas. J'ai été jalouse de vous, autrefois. C'était comme aujourd'hui, un 14 avril. Votre père était venu examiner les finitions de la maison qu'il nous avait dessinée, et mes parents voulaient le retenir à dîner ; je savais que j'aurais le droit de rester à cause de lui, et qu'il me confectionnerait une tour Eiffel en papier. Mais il n'y a rien eu à faire. C'était les sept ans de son fils. Il devait rentrer chez lui. Rien ne l'aurait fait changer d'avis, on le sentait à la façon dont il parlait de vous, et mes parents n'insistèrent pas. Je me suis couchée en pleurs, car je savais que mon propre père n'aurait jamais renoncé à un dîner d'affaires pour moi. Peut-être est-ce pour cela que j'espérais dîner avec vous ce soir ? C'est bien votre anniversaire, n'est-ce pas ? J'ai commandé du champagne pour accompagner le dessert. Il faut bien que je me fasse pardonner ma jalousie !

Viviane ouvrait des yeux ronds. Elle se dit que les adultes avaient décidément de drôles d'histoires entre eux. Comme le visage de Nathanaël semblait s'être attristé, la petite lui prit la main et lui demanda :

– Tu me feras une tour Eiffel, à moi aussi ?

– Ah non, Viviane, laisse Nathanaël finir de dîner tranquillement !

– Alors, samedi prochain, avec Clara ?

Il promit, rassuré. Il avait le temps de s'exercer. Saurait-il confectionner des tours Eiffel en papier, comme son père ?

CHAPITRE 4

La pesée du cœur

Ce samedi n'en finit pas de s'étirer. Nathanaël s'est promené, a lu, a parlé avec sa grand-mère, puis il est reparti faire quelques pas, est remonté chez sa grand-mère, a repris un livre. Il est ailleurs, dans l'attente du dîner avec Clara. La vieille femme lui fait des remontrances :

– Cher Nathanaël, je comprends que tu n'aies pas d'amoureuses ! Si tu les traites comme moi... On a la désagréable impression d'être assis à côté d'un chat qui vient de se tremper dans l'eau froide.

– Pardon, Grany, je suis distrait en ce moment.

– Je sais que la période de ton anniversaire est toujours rude pour toi. Tu aurais mieux fait de partir en voyage...

– Je préfère déjeuner avec toi, tu le sais bien.

Il pose sa main sur celle, toute ridée, de Sarah, et ajoute :

– Tu es tout ce que j'aime, à présent.

– Eh bien, mon pauvre Nathanaël, nous voilà mal partis : une vieille pomme et un chat efflanqué !

Ils rient, mais Sarah manque de patience envers

ce petit-fils trop distrait, elle invoque une brusque fatigue et laisse Nathanaël encore plus esseulé.

Cinq heures. Il n'est que cinq heures. Il s'allonge sur son lit, pensant à son père si vivant, si joyeux, aux rires de sa mère. Au milieu d'eux, il ne peut s'empêcher de voir Clara danser, tourner, virer. Depuis ce mercredi, la pensée de la petite ne le quitte plus et, alors qu'il ne lui reste que trois heures avant de la retrouver, des souvenirs oubliés remontent en lui.

Il se lève, s'assied dans un fauteuil, yeux grands ouverts, se relève, va choisir un disque et se met à écouter bêtement – c'est du moins ce qu'il se dit – le début de *Tristan et Isolde*.

Les accords de Wagner réveillent et élargissent une ancienne blessure. Quelle blessure ?

Il prend peur de cette souffrance nouvelle pour lui. Il a maintenant envie de s'y soustraire, de retrouver des amis bruyants, le beau monde, les postes honorables, une carrière, les voyages, le tumulte. Autour de lui, le silence, compact, se laisse sculpter par le musicien. Combien de fois n'a-t-il pas écouté cette mélodie ! Pourtant, jamais elle ne l'a aussi profondément pénétré. Le voici forcé aux aveux ! Mais quel aveu devrait-il faire ? Il ne sait. Il a presque envie de vomir, tant le souffle lui manque. Il se dit que la rencontre avec le Sphinx ne devait pas être moins terrible. Quelqu'un l'interroge en ce moment même à travers ce visage d'enfant énigmatique entrevu une fois, et il serait tenu de fournir une réponse, mais laquelle ? Laquelle ?

Peut-être est-ce là sa punition. Il n'a jamais vraiment aimé, il n'a jamais retenu personne. Il est vierge, volontairement. Vierge de tous attouchements, erreurs, passions. C'est devenu presque un art, pour lui. Il n'y a là ni peur, ni désir contenu, ni perversion. Il s'est simplement gardé de tout lien. Les femmes ou les hommes qui auraient pu l'attirer, le toucher, n'ont pas eu la patience d'attendre et se sont détournés. Il ne méprise pas l'acte, mais c'est pour lui comme la dernière touche au tableau, comme un aboutissement, un feu d'artifice.

Un feu d'artifice ! Il bondit de son fauteuil à la pensée de son père tirant lui-même, pour ses anniversaires d'enfant, des bouquets de fusées multicolores. La tour Eiffel ! Bon Dieu ! Il ne s'est pas exercé, pour Viviane ! Vite ! Il dévale l'escalier de la maison.

– Berthe ! Berthe ! hurle-t-il.

La « bonne Berthe », comme dit sa grand-mère, surgit hors de sa cuisine, affolée.

– Vous avez des journaux, Berthe ?

– Cela dépend, Monsieur Nathanaël. Moi, je ne lis pas vos journaux.

– Cela n'a pas d'importance.

– Comment cela, pas d'importance ? Il est hors de question que je lise vos journaux. C'est trop mal écrit !

– Mal écrit ? !

– Il n'y a aucun sentiment, aucune morale là-dedans. Tant de papier perdu pour parler de tous ces hommes qui volent et qui mentent. Jamais ils ne disent ce qu'on pense, nous autres ! J'ai essayé plusieurs fois, après déjeuner. Et pourtant, vous savez que j'aime lire, Monsieur Nathanaël ! Hugo, Zola, Delly : des vraies histoires de cœur, des gens pauvres mais qui ont de la dignité. Mais là, c'est comme si on me parlait d'un autre monde – des Martiens, tenez ! Tous ces olibrius ne sont pas faits comme nous. Monsieur votre père, il mentait pas comme ça non plus !

– Donnez-moi *vos* journaux !

– Vous êtes sûr ? Qu'est-ce que vous allez en faire ?

– Vous verrez bien.

Berthe le précède à l'intérieur de la cuisine, farfouille sous un bac à légumes et lui tend des *Bonnes Soirées* avec un air méfiant, comme si elle lui confiait des éditions rares du dix-huitième siècle.

Pris de scrupule, Nathanaël lui demande quand même si elle les a lus, avant de les déchirer.

– Bien sûr ! Qu'est-ce que vous croyez ! Ce n'est pas comme vous. Je respecte ceux qui écrivent, moi. Vous, vous parcourez tout, votre journal comme le reste, et puis vous jetez, et vous recommencez tous les jours. Moi, ce que je lis, c'est autant de temps pris sur mon temps. C'est important, ce qu'on lit. Après, j'y repense souvent.

Nathanaël reste interdit. Jamais il ne s'est figuré Berthe sous les traits d'une lectrice. « C'est du temps pris sur mon temps », proteste-t-elle. Et lui, que fait-il de son temps ?

– Bon ! Vous fabriquez quoi, avec mes journaux ?

– Tenez ! Il faut les ouvrir par le milieu et détacher les pages. Aidez-moi !

– Vous allez déchirer mes journaux ? Pas question !

– J'en ai besoin pour ma tour Eiffel...

– Ah, fallait le dire tout de suite ! Vous voulez faire comme votre papa ? Il était temps de vous y mettre. Bon ! Mais c'est bien pour lui.

– Vous enveloppez bien des épluchures dedans !

– Les légumes, c'est noble : c'est de la nourriture.

Décidément, il n'aura jamais le dernier mot, avec Berthe.

– Mais ne vous énervez pas, Monsieur Nathanaël. Vos tours Eiffel, je les confectionnais déjà avec votre père...

Berthe s'empare d'un couteau à légumes, ouvre les agrafes du milieu, tend les pages une à une à Nathanaël.

– Il faut les rouler et les serrer comme ça.

Elle lui indique les gestes comme elle lui aurait montré une recette de cuisine.

– Prenez votre couteau, maintenant !

– Quel couteau ?

– *Son* couteau ! Là, tenez. Vous ne l'emportez jamais...

Berthe ouvre un tiroir et lui tend un couteau suisse, rouge avec la croix blanche.

Nathanaël, qui n'a pas l'habitude, n'arrive pas à l'ouvrir. Ses mains se mettent à trembler rien que de le tenir.

Peu à peu, il se calme. Il revoit son père faire les gestes et devient son père. Il lui semble qu'une métamorphose s'opère en lui, comme si ses traits prenaient de l'épaisseur, ses gestes, du poids ; il se sent moins léger, plus humain.

– C'est étrange, murmure Berthe. Je ne m'étais jamais rendue compte à quel point vous ressemblez à Monsieur.

Nathanaël n'a plus qu'à plier les deux tuyaux de papier, et la tour Eiffel grandira.

– Tenez, dit-il avec un geste brusque en direction de Berthe, je vous en fais cadeau, de ma première tour Eiffel !

– Quel gamin vous faites ! se moque avec gentillesse la vieille bonne.

Nathanaël repose le couteau suisse qu'il a laissé là depuis des années, puis le ramasse en hâte, comme s'il le volait, et quitte précipitamment la cuisine.

À son retour dans sa chambre, le temps se déroule en volutes de musique. Il est l'heure de se préparer. L'amour de *Tristan et Isolde* s'engouffre par amples rafales dans sa pièce de travail. Au grand scandale de Berthe, il laisse souvent la musique parcourir ainsi les murs de chez lui et les garder en son absence. C'est là son plaisir : à son retour, retrouver la musique qui l'attend mieux qu'une femme, qu'un ami, qu'un animal fidèle. Il en monte légèrement le volume lorsqu'il sort en ville, ce qui lui arrive de moins en moins ces temps-ci. Ce soir, à cause de Clara, le voyage de *Tristan et Isolde* s'achèvera sans lui...

Tout en s'habillant, un sentiment étrange le gagne. Peut-être la musique continuera-t-elle ce soir à le suivre, comme ces étoiles éteintes dont la lumière continue néanmoins à nous parvenir ? Peut-être ce soir la fin de *Tristan et Isolde* viendra-t-elle tourner jusqu'autour de leur table ?

Il boutonne sa chemise blanche. À l'inverse de la plupart de ses amis, il veille à arborer toujours une tenue impeccable : cravate, chemise à col fermé, et tant pis si Clara et Viviane le trouvent vieux jeu ! Il choisit une cravate bleue, comme les yeux de la petite danseuse, mais, à l'instant de la nouer, il se sent pris et emporté par le tourbillon musical : c'est lui qui va boire le philtre d'amour, il le sent confusément. Il va aller jusqu'au bout d'une folie, au moins une fois dans sa vie !

Il se hâte maintenant vers ce rendez-vous. Le temps déjà devient impalpable, il s'élance et la musique l'emporte dans son ressac amoureux, quelque chose va se produire auquel il s'est préparé depuis longtemps. Il se regarde dans le miroir ancien qui a appartenu à sa mère, posé sur sa table, délicat comme elle et qui a conservé son parfum. Chaque jour, elle l'aspergeait de *Mouchoir de Monsieur*, de Guerlain, après s'être parfumée elle-même. Un matin de Pâques, tandis que les cloches sonnaient à la volée aux quatre coins du ciel, Nathanaël lui avait demandé pourquoi elle parfumait ainsi son miroir ; elle s'était penchée vers lui, l'avait embrassé sur le bout du nez et lui avait fait cette réponse prémonitoire : « Un jour, qui sait ? ce miroir te parlera de moi... » Elle l'avait installé sur ses genoux, et, blotti contre elle, Nathanaël s'était enivré de cette odeur qui lui tournait la tête, le faisant rêver à ces histoires terribles de mouchoir perdu et de mari jaloux, à Venise, que lui racontait sa mère presque chaque soir.

« Regarde Natouchka – ainsi l'appelait-elle parfois –, nous sommes presque pareils. »

De fait, dans le miroir tamisé, ils avaient soudain l'air de deux jeunes princes coiffés semblablement, sa maman devenue une sœur capable de partager ses secrets.

Il s'observe. Derrière lui, la musique l'enveloppe

de baisers, de caresses. Il songe à elles deux : Zelda et Clara. Elles vont bien ensemble. Il leur sourit. Le miroir le rassure. Il a douze ans.

La grande limousine un peu vieillote s'arrête devant le restaurant italien *L'Océan*.

Si Nathanaël a choisi d'aller dîner chez Igor, c'est qu'il reste une des rares connaissances qu'il supporte de revoir. Il y emmène sa grand-mère ; le cadre est sympathique et calme. Igor, Russe émigré, lui évoque peut-être son arrière-grand-père. Nathanaël retrouve en lui le même lyrisme que chez sa mère, cette exaltation qui lui vient d'on ne sait quelle course en traîneau soudain resurgie d'une mémoire qui sort de son engourdissement. Parfois il s'élance à son tour à la suite de pensées étoilées tandis que sa grand-mère bavarde avec Igor.

Cette fois, il a retenu une table pour cinq convives. Il s'est dit que Louise, la maman de Clara, qui ne doit pas être très riche ni bien portante, n'apprécierait pas de dîner dans un cadre tapageur.

Déjà, la Bentley pourtant vétuste conduite par Ferdinand a provoqué les exclamations de Viviane, plus rousse que jamais. La danse lui a mis le feu aux joues et, grâce à elle, les premières retrouvailles après le cours de mademoiselle Serane ont été faciles.

Ils sont convenus de se retrouver tous au bas de l'immeuble de Clara, rue de Gramont, sur le coup de vingt heures. Il a proposé d'emmener tout le monde à bord de sa vieille voiture. Il a tellement peur de les attendre en vain, seul au restaurant, que, de lui-même, il a échafaudé cette solution.

Malheureusement, cela l'a privé des cours de mademoiselle Serane et des exercices des enfants. Enfin, tout le monde est maintenant arrivé à bon port. C'est à peine s'il a encore entrevu la maman de Clara, une femme aux yeux marron-vert, un peu effacée, très mince – maigre, à vrai dire –, à l'allure de jeune étudiante. Clara n'a pas proféré un mot ni ne lui a serré la main. Il ne connaît pas le son de sa voix. Depuis le début, elle s'est enfermée dans un silence qu'il imagine volontaire à son endroit.

Igor se précipite, l'embrasse comme à l'habitude, fait le baisemain aux dames, lance un compliment aux enfants et les conduit jusqu'à leur table éclairée d'une jolie bougie qui fait miroiter les assiettes et ravive les visages.

Les deux mamans l'encadrent et il se trouve installé face aux gamines. Louise est à sa droite. Il a remarqué que Clara a cherché aussitôt à se glisser à côté de sa mère.

– Champagne pour tout le monde ! lance Igor.

– Bravo ! s'écrie Viviane, de plus en plus excitée.

– J'aimerais aussi une bouteille d'eau, demande posément Louise.

– Oui, deux bouteilles d'eau ! acquiesce la maman de Viviane. Cher Nathanaël, Louise et moi devrions tenir un débit d'eau minérale. Les danseuses ont toujours l'air de chameaux qui ont traversé le désert !

Cinq flûtes de champagne se posent sur la table. Nathanaël lève la sienne à l'intention de Louise et de madame Talleyrine.

– Aux mamans de nos danseuses et à la Danse !

Viviane trempe vite ses lèvres. Clara n'y touche pas. Elle n'a toujours pas articulé un mot. Elle se tient très droite dans son complet veston marine – un peu comme un jeune garçon – et le regarde sans ciller. Elle le jauge. Combien de chair ? Elle ressemble vraiment à Mâat – la pesée du cœur ! Oui, elle soupèse son cœur avant d'émettre sa sentence. Il se prend à la détester. Pourquoi se montre-t-elle si dure ? Mais, après tout, ce n'est qu'une enfant. Tant pis si elle n'apprécie pas sa compagnie. Il se tourne vers Louise dont le délicieux sourire donne à son visage un charme las :

– Madame Talleyrine m'a dit que vous écriviez ?

– Non, je traduis. Je ne saurais écrire, mais, à force de traduire, je perçois mieux les difficultés de l'écriture.

– Oh, regarde, maman, c'est la photo de Georges Maurice !

– Combien de fois dois-je te dire de ne pas interrompre une conversation !

– Ce n'est rien, Christina, intervient aussitôt la maman de Clara. Vous savez bien que c'est leur dieu.

Nathanaël regarde du côté où Viviane et Clara se sont tournées. En haut du mur est accrochée une belle photo du grand chorégraphe dont Nathanaël reconnaît aussitôt le visage aux yeux perçants.

– Nous avons pu voir deux spectacles de lui, confie la maman de Viviane à Nathanaël. Vraiment superbes ! À propos, appelez-moi Christina...

Igor surgit pour noter la commande. Nathanaël surprend le visage de Clara levé vers la photo. Elle est comme transfigurée. Quels rêves l'habitent à cet instant ? C'est le comble ! Voici qu'il devient jaloux de quelqu'un qui pourrait être son père à lui ! Heureusement, Viviane, à son habitude, lance la commande des enfants. Elles prennent des pâtes, ravies qu'on puisse manger comme à la maison. Louise n'a pas très faim, elle a demandé un plat léger et resserre un châle en cachemire autour de ses épaules.

– Vous n'avez pas trop froid ? s'enquiert-il aussitôt.

– Maman a toujours froid, décrète Clara.

La voix est ample, incroyablement adulte, aisée, assez autoritaire.

Clara le regarde avec une sorte de défi. Il n'a pas à s'occuper de sa maman. Elle est sa propriété. Le message est clair. Il découvre qu'elle est jalouse à son tour de l'intérêt que Louise lui porte. La soirée va être commode, avec ce revolver à l'œil bleu braqué sur lui ! Louise reprend de sa voix douce, légèrement chantante :

– Clara a raison ! Lorsque j'étais petite, je m'asseyais même sur les radiateurs ! Elle éclate d'un rire de fillette : Un jour, en sautant sur l'un d'eux, je ne sais comment j'ai fait, je l'ai descellé du mur... J'ai été privée de dessert pendant un mois.

– Un mois ? s'offusque Christina.

– Oui, ils étaient assez durs dans cette institution, mais il est vrai que j'avais causé une vraie catastrophe !

– Quand est-ce que tu nous fais la tour Eiffel ? enchaîne Viviane en s'adressant à Nathanaël.

La maman de Viviane promet qu'on s'en occupera au dessert, mais il faut au préalable dîner tranquillement.

– Vous traduisez de quelle langue ? interroge Nathanaël en se tournant vers Louise.

– Surtout du russe, mais je connais aussi très bien l'anglais, et puis l'italien et un peu le grec.

– Malgré mes ascendances, je ne connais pas un traître mot de russe, confie-t-il.

Avec le calme de sa voix, l'intelligence qui brille au fond de ses yeux, cette femme a réellement du charme. À la différence de sa fille, elle a un visage assez commun, mais elle a dû être une jolie, douce et naïve adolescente – tout le contraire de ce qu'annonce Clara. Ses cheveux presque blonds, très frisés, sont ramassés sur la nuque par un joli foulard et elle ressemble à une jeune institutrice fatiguée par les heures de veille, penchée sur ses livres. Le brun de ses yeux pâles n'a pas l'acuité du regard de Clara. Tout est chez elle discret, comme un dessin mi-effacé d'un coup d'éponge sèche.

– J'aurais aimé que ma fille apprenne mieux les langues, continue-t-elle. Elle est douée et cela peut toujours servir, mais avec la danse...

Elle laisse ses yeux dériver vers un avenir qui, l'espace d'une seconde, la terrifie. Son visage se contracte douloureusement.

– Arrête de t'en faire, maman ! Tu n'y connais rien.

La dureté de ton de Clara surprend Nathanaël, mais il comprend que la petite se forge déjà une armure pour ne pas s'effondrer devant l'issue de la maladie de sa mère. Ces deux-là ne peuvent se permettre de s'apitoyer sur leur sort.

– Vous traduisez quoi, en ce moment ?

– J'adapte une pièce de Tchekov pour un grand théâtre.

– Laquelle ?

– *La Cerisaie* ; et puis un roman. Je n'arrête pas, vous savez. La traduction est assez mal payée. Mais c'est un travail aussi passionnant que minutieux. J'avais un ami, grand metteur en scène, qui vient de mourir, mais qui m'avait appris tant de choses... Traduire est une belle aventure.

– Comment cela ?

– Émile était quelqu'un d'exceptionnel. Vous avez dû en entendre parler ?

– Émile Stafar ?...

– Oui. Je crois qu'en fait il était d'origine yougoslave. On n'a jamais bien su. Il avait été le secrétaire d'un grand poète ami des Russes, avant de faire de la mise en scène. Il m'a beaucoup appris. Avant de le rencontrer, j'étais modeste traductrice pour une maison d'édition. Il m'a ouvert bien d'autres horizons, mais ce serait trop long à vous raconter...

– Cela m'intéresse !

– Avant d'être le célèbre metteur en scène que vous connaissez, il avait longtemps été au chômage. Jusqu'à l'âge de trente-cinq ans ! Pendant des années, il a traduit un énorme roman russe de plusieurs milliers de pages. C'est là qu'il a commencé à découvrir l'essence de la traduction. Je vous donne un exemple qu'il citait volontiers. À un moment donné, il est question dans ce roman des Cosaques pendant la guerre de 14. Or l'auteur les fait parler dans leur dialecte. Comment trouver l'équivalent ? Certains traducteurs s'épuisent à forger un langage hétéroclite : on mélange de l'argot, du patois français. C'est ce qu'il a d'abord fait, puis il a tout raturé et a traduit dans un français moyen, mais en estropiant la syntaxe, un peu comme quelqu'un qui ne s'y connaîtrait pas en grammaire française. Ainsi informait-il le lecteur d'une « différence ». Car, disait-il, si je fais parler le Cosaque en chtimi, en beauceron ou en marseillais, c'est alors un Chtimi, un Beauceron ou un Marseillais que le lecteur imaginera physiquement. Si, en revanche, je me borne à signaler qu'il ne parle pas « comme il faut », le lecteur pourra l'imaginer à sa guise. Ainsi, la sous-traduction se révélera plus efficace que la sur-traduction. C'est une leçon que j'ai retenue...

– J'aimerais que vous m'en parliez plus longuement.

– Un autre jour : les enfants vont très vite se lasser des Cosaques, des Marseillais et des Poètes ! Comment était le cours, aujourd'hui ?

Aussitôt, Viviane se lance dans des explications sur tout ce qu'elles ont fait. Clara complète en parlant du placement de l'une et de l'autre.

Nathanaël n'arrive plus à suivre. Il vient de survoler les grandes étendues russes de la traduction romanesque et le voici rattrapé par des problèmes de placement que deux petites filles se disputent. Même à l'E.N.A., il ne s'est jamais senti aussi laissé pour compte que face à ces jeunes créatures. Pour couronner la discussion, madame Talleyrine a lancé à propos d'une petite fille prénommée Lucie, que Viviane a critiquée :

– Oui, mais elle a un beau cou de pied !

– Moins beau que celui de Clara, rétorque l'enfant rousse.

Nathanaël les regarde, partagé entre l'étonnement et l'admiration. Toutes quatre sont belles, différentes, et comme elles apportent tout à coup de cette couleur qui, depuis des années, a peu à peu disparu de sa propre vie ! Il y a les ors de madame Talleyrine, les rouges de Viviane, le vert pâle de la maman de Clara, et puis le bleu glacé, presque blanc, de celle-ci, étincelant comme l'éclat d'une lame sous le soleil. Il songe à nouveau à Cranach, à Salomé. Ce soir, Clara ressemblerait plutôt au portrait de la fille de Luther qu'a peint le vieux Lucas : Magdalena. Ses cheveux repassent derrière ses oreilles en longues mèches sombres et raides qu'elle a à demi nattées. Clara a un front immense, bombé, presque inquiétant. Il n'avait pas remarqué, la première fois, l'ampleur de ce front.

Sans qu'il se soit méfié de l'attaque, Clara le regarde bien droit avant de lui lancer :

– Vous n'avez pas assisté au cours, aujourd'hui ?

Il se trouble, s'en veut de laisser paraître son émotion. Il n'a tout de même pas six ans ! Non, il ne se laissera pas faire par cette gamine !

– C'est gentil de l'avoir remarqué, Clara, mais j'avais convenu avec la maman de Viviane de venir vous attendre ce soir en bas de chez vous. J'irai, la prochaine fois.

– Pourquoi ?

Le ton de Clara n'est ni méchant ni provocateur. Elle veut tout comprendre, toujours, et encore davantage. C'est une enfant qui ne s'embarrasse pas de faire semblant.

– Pourquoi ? répond-il. Je ne sais. J'ai été fasciné, l'autre fois, par l'enseignement que vous dispense madame Serane.

– On dit *mademoiselle* Serane ! lui souffle Viviane, malicieuse, sentant Nathanaël en difficulté face à Clara.

– Pourquoi ? poursuit-il. À cause du silence, peut-être. Des gestes ! De toi aussi, conclut-il courageusement.

– Pourquoi ? persiste-t-elle, impitoyable.

Elles le regardent toutes ensemble se débattre avec Clara. Il a la sensation d'un meurtre en préparation. Il y a quelque chose d'à la fois fascinant et dangereux à se retrouver le point de mire de ces quatre paires d'yeux féminins. Pour la première fois de sa vie, il est seul comme un étranger entré dans un harem, mais aucune ombre masculine ne se profile derrière les portes grillagées. Il en ressent comme une volupté, un vertige de s'abandonner. Que vont-elles faire de lui ? Lui qui, jusqu'ici, a toujours décidé, en bon énarque qui sait choisir entre telle et telle conclusion, voici qu'il se sent aux ordres, prêt à souscrire à l'ultime choix de Clara, se dit-il avec un frisson de souffrance désirée. Pis encore : il n'a nulle envie de rompre l'enchaînement de cette scène et commence à s'essayer à répondre.

Clara attend, imperturbable. Elle ne l'a pas quitté des yeux. Jamais il n'a rencontré chez une enfant aussi jeune une telle force de concentration, et, curieusement, personne autour de la table n'ouvre plus la bouche. Il se résout à lui répliquer avec sincérité.

– Pourquoi ? laisse-t-il tomber d'une voix douce et pondérée. J'ai découvert l'autre jour la Danse avec une majuscule. Pour être exact, j'ai compris qu'il y avait là une chose infinie à découvrir, qui s'appelle la Danse. Un art suprême, voué à la Beauté. Et cela, à cause de toi. Ou plutôt à cause de ta pirouette !

– Ma pirouette ?

– Oui, j'ai entrevu qu'un même mouvement pouvait porter témoignage des dieux ou du néant. Et j'ai repensé à l'écriture...

Nathanaël songe qu'il est en train de s'adresser à une enfant de onze ans du ton dont il répondrait à un docteur en philosophie.

– Comment cela ? demande-t-elle d'une voix légèrement moins autoritaire.

– Cela dépend des pieds qu'on a ! lance Viviane en rigolant. Tu ne feras jamais tenir un lampadaire sur un pied bancal !

Tous éclatent d'un bon rire, comme soulagés de voir se dissiper la tension qui s'était créée quelques instants auparavant. Un lien fugitif s'est désormais tissé entre Nathanaël et Clara. Une pirouette, en quelque sorte, se dit-il. Il a commencé à parler sa langue. Pour la première fois, il a accepté de ne rien savoir et d'oser le montrer. Devant cette enfant, il s'avance désarmé, sans précautions, acceptant de se livrer complètement. Qui l'emportera par la suite ? Peut-être le tuera-t-elle un jour ?

– Il n'y a pas que le pied, hasarde madame Talleyrine.

Viviane s'anime :

– Si ! Tu as vu le cou de pied de Clara ?

– Vous ne cessez toutes deux de parler de cou de pied... De quoi s'agit-il ? interroge Nathanaël, bien décidé à en apprendre davantage.

La maman de Clara intervient d'une voix posée :

– On pourrait dire la cambrure, si vous préférez,

mais ce serait plus flou. C'est vraiment comme un cou de cygne. Regardez !

Louise se dégage de la table et montre discrètement son pied à Nathanaël en relevant sa jupe mi-longue. Elle est chaussée d'escarpins démodés à petits talons. Il y a quelque chose d'attendrissant dans ce mouvement de Louise.

– Voyez la bosse que dessine mon pied au-dessous de la cheville, lorsque je le pointe vers le sol. C'est cela, le cou de pied. Il prolonge harmonieusement le corps. Imaginez : vous êtes assis sur le sol, votre jambe allongée comme ça. Louise tend sa jambe à l'horizontale. Vos orteils doivent alors toucher le sol, mais attention, sans tourner la cheville ni à droite ni à gauche... Clara les observe, furieuse. Cela se travaille, mais il vaut mieux l'avoir de naissance... Lorsque la danseuse est dressée sur ses pointes, si son pied n'a pas de cou, il casse la ligne. Il faut qu'il appartienne à cette architecture complexe...

Louise dessine en l'air avec sa main droite ; elle a une grâce innée qu'on trouve encore à demi dissimulée chez Clara.

– Quand elles décrivent une arabesque, cela donne l'impression qu'elles ont presque des ailes au bout des jambes. Clara est en colère parce qu'elle pense que je n'ai pas à vous expliquer tout cela et qu'au surplus je l'explique mal. Mais vous comprendrez mieux avec une image : je comparerais volontiers le cou de pied au style de l'écrivain. Tout le monde sait écrire, mais quelques-uns seulement ont le cou de pied...

– C'est ridicule ! s'exclame Clara. Il n'y a pas que le cou de pied. Certaines, qui l'ont plus fort que moi, dansent comme des crêpes. Il faut aussi des bras, une tête, enfin tout ! Cela n'a rien à voir avec l'écriture !

– Clara, excuse-toi ! réplique sa mère avec fermeté.

– Non, non ! intervient Nathanaël. Laissez-la. Elle a une vraie passion, et c'est si rare aujourd'hui, surtout à cet âge. Comme toute passion, celle-ci rend aveugle à tout le monde à l'entour.

– Vous avez une passion ? riposte aussitôt Clara avec rage.

– Oui.

– Laquelle ?

Nathanaël la regarde droit dans les yeux :

– L'écriture ! s'exclame-t-il, et la colère contenue dans sa propre voix le laisse surpris.

La mère de Viviane éclate de son rire chaleureux.

– Bravo ! On dirait deux enfants qui se chamaillent, et je ne suis pas sûre que le plus vieux soit Nathanaël !

– Vous parlez, mais vous aurez beau dire, c'est plus facile de danser quand on a ce qu'il faut ! proteste Viviane.

– Mais on n'a jamais tout ce qu'il faut, ma chérie, reprend la maman de Clara. Tu peux, à cause de tes dons naturels, te reposer sur eux et ne pas travailler assez. Tu es la vedette d'un cours ! Bon, mais après ? Au dernier rang, il y a une petite horreur qui s'épuise, mais elle travaille, elle travaille. Dix ans après, elle a maigri, son visage s'est affiné, tandis que la vedette aura sombré corps et biens... Je ne dis pas ça pour toi, Clara, car tu travailles très fort, toi aussi...

– C'est tellement dur, soupire la maman de Viviane, et tellement mal organisé ! On court à l'école, on court à la danse, on rentre tard le soir à la maison. On redoute de laisser son enfant prendre les transports en commun si le cours finit à une heure trop avancée : alors on se précipite, on redoute la fatigue qui va se transformer en maladie. Vous avez parlé du cou de pied, des dons, de je ne sais quoi ; moi, je dirais qu'il faut avant tout une énorme résistance chez l'enfant. On oublie facilement que c'est comme un sport de haut niveau...

Nathanaël perçoit chez Christina comme une lassitude. Heureusement, la mère de Clara pose une main amicale sur le bras de l'autre maman.

– Oui, mais cela peut être si beau ! Elles ont choisi la danse : c'est une chance immense. Je suis heureuse pour Clara, même si elle apprend au prix de grandes difficultés, ou peut-être à cause de cela.

Louise s'exprime à mi-voix, avec calme, et une certaine joie qui éclaire son visage.

– Elles apporteront peut-être encore un peu de Beauté à ce monde, conclut-elle comme pour elle-même.

Nathanaël l'observe. Cette femme lui rappelle quelqu'un. Qui d'autre lui a insufflé ce sentiment de paix, de permanence ? Une présence qui vous berce sans jamais se lasser... L'Océan ! Cette femme lui rappelle l'Océan de sa jeunesse. Pourquoi ne retourne-t-il plus jamais à Biarritz ? Il a envie de s'y retrouver aussitôt. Face à l'eau mouvante. Elle aussi danse ! Elle aussi ne cesse de vous interroger au gré de son ample respiration !

La voix grave de Clara le ramène à la réalité. Ses yeux bleus distillent une douceur nouvelle. Elle parle à sa mère. La profondeur de leur lien ne fait aucun doute.

Il imagine alors Clara devant l'Océan, étrange déesse égyptienne revenue parmi eux procéder à la pesée des cœurs. Pour la première fois, il songe qu'il n'est peut-être pas si assuré de l'avenir et qu'il devrait commencer drôlement à travailler au salut de son cœur, aussi léger et frêle qu'une plume sur le plateau de la balance.

CHAPITRE 5

Le bonheur de Louise

Épuisé, furieux contre lui-même, Nathanaël sourit à Louise dont les quintes de toux se font de plus en plus fréquentes.

Depuis la veille, tous deux vivent au rythme du concours de danse que passe Clara. Il n'est pas encore deux heures de l'après-midi, ce trop chaud dimanche de mai, et il se retrouve en compagnie de la mère de Clara dans une cafétéria de maison de jeunes qui ressemble bien davantage, se dit-il, à une maison de retraite pour personnes du troisième âge. Il n'y a rien à manger, si ce n'est des pizzas congelées, irréchauffables. Autour d'eux, une marée de mères affairées et quelques maris abandonnés, l'air de figurants enrôlés pour la circonstance tant ils jouent mal leur rôle, ou avec trop d'application. Des grands-parents aux regards habités de chimères, des frères et sœurs inquiets, délaissés par la mère, mais venus eux aussi soutenir la petite sœur. Comme toujours, peu de jeunes garçons.

– Chère madame Isella, puis-je vous poser une question ?

– Appelez-moi Louise ! Avec ce que vous

endurez depuis hier, je vous considère déjà comme un vieil ami, répond-elle avec un brin de malice dans le regard.

– Louise, est-ce vous qui avez suggéré à Clara de devenir danseuse ?

– Absolument pas ! Mais, depuis qu'elle marche, je peux dire qu'elle danse. D'abord, j'ai dû batailler pour qu'elle accepte de mettre des chaussures. Elle n'acceptait de marcher que pieds nus, et sur la pointe ! Pourquoi ? Je n'ai jamais su. Lorsque je voulais lui enfiler une chaussure, elle mettait la pointe en dedans et refusait de pousser son pied plus loin. Commode ! Ensuite, tous les soirs, et je dis bien *tous* les soirs, elle me demandait de mettre de la musique, et elle dansait, elle dansait ! Et cela ne durait pas dix minutes, mais une heure et plus. Je crois que si je ne m'étais pas fâchée, elle n'aurait arrêté que vaincue par la fatigue.

– Cela vient de la famille ?

– Vous savez, Nathanaël, je suis une enfant trouvée. Je n'ai jamais su qui étaient mes parents. Je n'ai donc aucune famille autour de moi. Quant à son père, peut-être a-t-il disparu ! C'est une longue histoire... Il était violoniste. Sans doute cela lui est-il venu de ce côté-là... Cela fait bien longtemps que je ne l'ai pas revu. Je vous raconterai... En tout cas, pour ce qui est de Clara, je ne l'ai jamais poussée. Je n'aime pas les mères qui s'escriment à faire de leur progéniture des prodiges. En outre, je n'en ai guère les moyens. Vous voyez, tout cela est très compliqué, ajoute-t-elle avec un soupir de découragement.

– Ne vous en faites pas, je suis là, réplique

Nathanaël sans même se rendre compte de ce qu'il vient de dire.

Louise le considère en silence. Il a l'impression qu'elle le jauge avec gravité. Elle reprend, songeuse :

– Je n'ai que vous. Peut-être est-ce le Ciel qui vous envoie ? Puis elle secoue ses épaules en égrenant un rire léger. Pour être si beau, vous devez être un ange !

Nathanaël sourit. Il n'y a de la part de Louise aucune tentative de séduction, mais une sorte de constat paisible.

– Êtes-vous si sûre que les anges soient beaux ?

– Dans l'Histoire sainte, ils sont terribles, en ce sens qu'ils provoquent la terreur.

– J'espère que ce n'est pas mon cas !

– Non. À cet égard, je dirais que Clara est parfois plus ange que vous, mais vous avez tous deux quelque chose en commun.

Comme elle le fait de plus en plus souvent, Louise se laisse happer par quelque pensée secrète et, au bout d'un instant, murmure comme pour elle-même :

– J'aimerais tant que la Beauté soit au rendez-vous...

Pourquoi lui parle-t-elle justement de la Beauté ?

Depuis deux jours, Nathanaël ne parvient plus à retrouver ses repères. Il regrette parfois l'absence de madame Talleyrine dont la joviale bonne santé l'aurait soutenu. Il est comme hébété, anxieux.

Depuis leur dîner, plus d'une quinzaine de jours se sont écoulés. Il a reçu un mot gentil de Louise, le remerciant pour cette soirée, et un coup de téléphone de madame Talleyrine lui promettant d'en organiser prochainement une autre, mais, malheureusement, a-t-elle ajouté, « je dois m'absenter quelques semaines à cause des affaires de mon mari. Viviane m'accompagne. Comme vous m'y avez autorisé, j'ai laissé votre numéro de téléphone à Louise, la maman de Clara. Elle m'a promis de vous appeler si elle avait des problèmes. J'en profite pour m'absenter. Il n'y a pas cours ni ce samedi, ni l'autre. Je ne sais plus exactement pourquoi. À cause des fêtes, je crois. Enfin, vous verrez ! »

Ces deux semaines ont été les plus atroces qu'il ait jamais connues. Il n'a plus bougé de chez lui, les yeux rivés sur le combiné qui se transformait de jour en jour en gros insecte noir prêt à le dévorer. Appeler l'Académie de mademoiselle Serane ? Il n'avait pas d'enfant à faire danser : pourquoi se serait-il renseigné sur les horaires ? Et si elle l'interrogeait sur l'âge de son petit ? Il se sentait perdu. Il avait pensé passer rue de Gramont, mais sa bonne éducation l'en avait empêché. Non sans honte, il se demandait s'il avait autant souffert de la mort de ses propres parents. Le temps l'avait emprisonné dans son filet gluant et il étouffait du silence qui s'arrondissait à plaisir autour de lui. Il avait perdu définitivement Zelda, sa mère, mais Clara, elle, était bien vivante. Il fallait qu'il la revoie ne serait-ce qu'une dernière fois !

Heureusement, il y avait les livres sur la danse qu'il s'était empressé d'acheter le lundi suivant leur dîner et qu'il dévora du matin à l'aube suivante. Il y avait aussi son *old-fashioned* qu'il prenait toutes les fins d'après-midi à la même heure, espérant comme un enfant superstitieux faire se répéter le même événement grâce à ce breuvage qu'il avait dégusté juste avant de rencontrer la Danse. Car il ne pouvait plus dissocier la Danse de Clara, ni Clara de la Danse.

Pourquoi n'appelait-elle pas ? Pourquoi ? Du fait de cette absence de sonnerie, c'est l'engrenage du Jugement dernier qui se mettait en branle, comme si nul salut ne devenait plus possible.

Sa grand-mère s'inquiétait, Berthe s'inquiétait. Ferdinand ne disait plus rien, mais ses yeux exprimaient une sévère réprobation. Avait-on le droit de gâcher ainsi sa vie à trente ans ? Enfin, Monsieur Nathanaël lisait de bien beaux livres en ce moment, disait-il à Berthe : il y a plein de danseuses partout.

– J'espère que Monsieur ne va pas devenir un débauché, répondait Berthe en levant les yeux au ciel.

Nathanaël approfondissait ses connaissances : Maurice Béjart, George Balanchine, Martha Graham, Serge Lifar, Diaghilev, Marius Petitpas. Il lisait des Mémoires, des biographies, des interviews : Anna Pavlova l'unique, Marie Taglioni, Sylvie Ghilhem, Vaslav Nijinski, Carla Fracci, la brune Pietragalla. Il eut un faible pour Olga Spessivtseva qui lui rappelait un peu Clara, et pour la photo de Suzanne Farrell avec Jorge Donn dans *Nijinski, clown de Dieu*. Une nuit, il resta de longs moments devant le petit écran à contempler Michaël Denard dansant *L'Oiseau de feu*. Comment un homme pouvait-il s'envoler de la sorte ? Il devint jaloux de ces êtres aux ailes invisibles.

Et puis, un jeudi en toute fin d'après-midi, le téléphone émit son long cri rauque. Nathanaël fut heureux de ne pas avoir changé le vieil appareil dont l'appel jurait avec toutes ces musiquettes qui envahissaient à présent les bureaux. C'était une vraie bonne sonnerie, longue, pleine d'autant de désespoirs que de rires à venir.

De sa voix douce qui ciselait chaque mot, Louise lui avait demandé de l'aide pour le week-end suivant. Il apprécia sa manière. Elle ne s'excusait pas, mais allait droit au but :

– Clara passe un concours. Cela va être très pénible. Épuisant. L'épreuve a lieu à quelques kilomètres de Paris. Je redoute d'être prise de malaise si je dois assumer cela toute seule. Vous savez, Nathanaël, je me sens de plus en plus fragile ; or je ne veux en aucun cas être une charge pour ma fille durant ces deux jours. Je sais que vous avez compris...

Il s'était surpris à répondre sur le même ton pondéré, presque compassé, parvenant ainsi à contenir la houle d'allégresse qui avait envahi sa gorge, le faisant presque vomir de bonheur. Il demanda à quelle heure elle désirait qu'il vînt les chercher. Avec un petit rire, cette fois, elle avait lancé :

– Autant vous dire tout de suite les catastrophes : nous devons partir à six heures du matin ! Encore faudra-t-il calmer Clara qui aurait volontiers quitté la maison plus tôt. Vous serez pris toute la journée, jusqu'à peut-être minuit. Même chose le dimanche si elle est gardée pour la finale. Il n'y a que vous à qui je puisse demander cela.

Il l'avait rassurée – il serait là ! –, gardant dans son cœur cette phrase magique qu'elle avait prononcée : « Il n'y a que vous... »

Ainsi donc, il n'y avait personne d'autre dans leur vie à toutes deux. Il était devenu nécessaire. Il n'était plus laissé en rade, vacant.

Alors il s'essaya à décrire une pirouette, puis deux, puis trois, comme, dans les dessins animés, le héros convoque son bon génie. Puis il s'arrêta et, se regardant dans le miroir, murmura, essoufflé :

– D'après toi, mère, quelle est la signification de la pirouette ? L'échappée du bonheur ? L'Éternité qui vous tire par la manche ? L'envie de se déprendre de cette bestialité satisfaite que décrit si bien mon ami Tolstoï ?

Le miroir était resté muet, mais une onde de parfum l'avait enveloppé, énigmatique.

Et le voici maintenant avec Louise entre ces murs de béton, dans ces relents d'huile et de pizzas refroidies, au milieu de bavardages auxquels il tend l'oreille, croyant discerner qu'à telle ou telle table on parle peut-être de Clara. Il n'a emporté aucun livre ; il attend impatiemment que les portes de la grande salle s'ouvrent pour pouvoir assister à la dernière épreuve. Clara est bien placée à la demi-finale. Il y a des points pour l'artistique et des points pour la technique. Étant donné son classement, elle a ses chances.

– Une heure et quart, dit-il. J'ai l'impression qu'il ne sera jamais l'heure !

– Vous êtes devenu pire qu'une mère !

– Pardon ?

– Je vous observe, lui lance Louise. Vous ne pensez qu'à Clara. Vous voulez qu'elle triomphe, elle et elle seule. Moi, si Clara figure parmi les dix premières, je serai heureuse. Les premières se transforment souvent en bêtes à concours. Je préfère que Clara devienne une grande artiste, et cela requiert beaucoup plus de temps...

Louise demeure pensive et, sans prévenir, pose sa main sur celle de Nathanaël.

– Après ce concours, je voudrais vous revoir, mais dans le calme. En semaine, si cela ne vous fait rien. N'en parlez pas à Clara. J'ai quelque chose de grave à vous demander. Je sais qu'en agissant ainsi je ne me trompe pas. Il est temps.

– Vous me direz le jour qui vous convient, fait Nathanaël.

Il vient à peine de remarquer la fièvre qui consume les yeux de Louise, quand Clara surgit, maquillée comme une poupée, dans un survêtement usé. Une fraction de seconde, elle regarde d'un air mauvais la main de sa mère posée sur celle de Nathanaël, puis, tirant violemment à elle cette même main :

– Viens, maman ! J'ai besoin de toi. Regarde, ça ne va pas du tout, mon maquillage !

– Mais si, ma chérie, tout va très bien.

– Je te dis que ça ne va pas ! Viens avec moi !

Elle tient à avoir sa mère avec elle, à l'écart de tous, surtout loin de lui.

Avant de la suivre, Louise se penche vers Nathanaël :

– Surveillez bien les chaussons et le tutu, je vous en supplie, dit-elle.

– Oui, on pourrait les voler ! lui lance Clara.

– Pour une fois, elle n'exagère pas, ajoute la mère. Je vous expliquerai.

Nathanaël reste assis, ne quittant pas des yeux les chaussons, comme s'il s'attendait à les voir s'envoler, et la main droite posée sur le sac-poubelle dans lequel est enfermé le tutu.

« N'ayez crainte, lui a expliqué Louise le matin. Nous n'embarquons pas nos ordures, mais c'est le seul moyen de transporter un tutu sans qu'il se retrouve tout aplati ! »

Depuis la veille, il ne cesse ainsi de découvrir une foule de choses nouvelles.

Clara porte le numéro 37. Il y a d'abord eu la catégorie « espoirs », les petites jusqu'à environ onze ans. Nathanaël ne s'est pas ennuyé un instant à voir ces dix-sept gosses si drôles, si menues, sautiller, tournoyer. Pour ce qui le concerne, il aurait décerné un prix à toutes. Puis, après une pause, une jeune fille a annoncé : « Catégorie "élémentaires" : numéro 18, Agnès... » Sans préavis, son cœur a fait un petit bond de côté : c'était la catégorie de Clara. Pour la première fois depuis la mort de ses parents, il a redécouvert que son cœur est un muscle qui travaille. Impossible pour lui de juger. Numéro 19, numéros 20, 21, 22, 23... Par moments, il trouvait qu'elles étaient toutes mieux que Clara ; à d'autres, qu'il n'y avait aucune comparaison possible. Il essayait de se rassurer en se disant qu'il n'y connaissait rien. Lorsqu'on annonça le numéro 34, Amélie..., son cœur fit un triple saut et entama une gigue effrénée. Au numéro 35, il se dit qu'il allait avoir une attaque, tant les coups résonnaient dans ses oreilles. Au numéro 36, il se retrouva en nage, avec une irrépressible envie de fuir, cependant que Louise se penchait vers lui et murmurait :

– Faites-lui confiance...

Il lui avait souri de biais.

Enfin, quand la demoiselle annonça de la même voix atone : « Numéro 37, Clara Isella », et libéra la scène pour laisser la candidate s'avancer seule, ses yeux se mirent à ruisseler.

Il la vit sortir de la coulisse, mince silhouette dans un justaucorps blanc, se placer, et la musique – elle avait choisi une aria de Bach, qu'il reconnut – retentit dans la salle devenue silencieuse. Tout se brouillait devant lui, il ne respirait plus, se moquait pas mal des pas de danse. Une enfant dansait et la Terre et le Ciel en un instant se réconciliaient ; le bonheur le secouait d'ondes successives, comme à l'annonce d'un séisme, puis il eut peur. Une tragédie allait survenir, le réveiller, le punir. L'angoisse montait en lui, insidieuse. Il fallait prévenir Clara, lui hurler quelque chose. Mais non, c'était fini. Elle saluait, toute menue, et disparaissait en voletant dans les coulisses.

La demoiselle avait fait de nouveau son entrée :

– Fin de la catégorie élémentaires. Le jury prend quelques minutes de pause avant la catégorie suivante.

Il entendit derrière lui une voix s'exclamer :

– La dernière avait de beaux bras !

– Ah, tu trouves ? répondit une autre voix.

La lumière s'était rallumée. Il se sentait anéanti de fatigue. Il prit son mouchoir pour s'éponger discrètement les yeux. Louise n'avait pas l'air plus détendue. Il l'interrogea :

– C'est la première fois ?

– Le concours ? Oui. Il faudra s'habituer, répondit-elle avec philosophie, car on ne peut pas mourir tous les jours ! Puis elle ajouta comme pour elle-même : Dommage !

Et elle quitta son siège avec brusquerie.

Clara, venue les rejoindre, redemanda quarante fois à sa mère comment cela s'était passé. Nathanaël s'enquit de son professeur.

– C'est assez compliqué, répondit madame Isella. En fait, Clara a un autre professeur, mais qui n'a pas pu venir, si bien qu'elle se sent un peu seule aujourd'hui. Mais cette dame viendra demain, si toutefois Clara passe en finale.

Nathanaël n'était encore qu'au commencement de ses surprises. Ils avaient dû attendre jusqu'à vingt-trois heures que la liste des noms fût placardée dans le hall d'entrée. Il fallait que toutes les catégories fussent passées, jusqu'aux plus âgées – vingt ans et plus. Ils avaient regardé danser près de deux cents candidates, mais Nathanaël avait l'impression d'avoir englouti des milliers de jambes, de bras, de sourires, de révérences au fur et à mesure que les catégories vieillissaient !

Droite comme les T d'architecte de son père, ces grandes règles pareilles à des potences ou à des croix qui le fascinaient, enfant, Clara ne voulait plus bouger du théâtre et il avait fallu que sa mère se mît en colère pour obtenir d'aller dîner à la sauvette dans un restaurant voisin, dans l'attente des résultats. Clara avait cédé en entendant les quintes de toux redoublées que sa mère n'arrivait plus à dissimuler, mais elle mangea à peine, surveillant le moindre mouvement de foule annonçant l'affichage des listes. Vers dix heures et demie, tout le monde se rua vers le hall où, écrasés, bousculés, il avait encore fallu attendre plus de trente minutes.

Clara était bien classée.

Le temps de revenir, il était minuit passé lorsqu'il les avait déposées rue Gramont, se donnant rendez-vous le lendemain à sept heures, car il n'y avait répétition qu'à onze heures pour sa catégorie.

Et le voici à nouveau là, à la même place que la veille, chien de garde d'un tutu et de deux paires de chaussons, ou plutôt de « pointes », comme on dit. Le bruit autour de lui a encore augmenté, ou peut-être est-ce son mal de tête qui l'amplifie ?

Naturellement, il s'est levé à cinq heures et demie pour vérifier l'état de marche de la vieille Bentley avant de partir les chercher par ce clair matin d'un dimanche de mai. Il n'a prévenu ni sa grand-mère, ni Berthe, ni Ferdinand, désirant être seul avec ce secret qui a nom Clara.

Il observe les tables à l'entour avec une certaine mansuétude qui n'est guère dans ses habitudes. Tous ces gens qui gâchent leur dimanche, entassés ici à mal manger après avoir fait, pour certains, des dizaines de kilomètres à seule fin que la petite ou le petit passe le concours. En fait, il s'agit plutôt de petites filles. C'est pour elles, grâce à leur rêve, même passager, que des familles entières ont délaissé leur poste de télévision, leurs virées en voiture, parfois leurs autres enfants. Ces fillettes ont rameuté tout un monde pour les suivre dans leur désir de prendre un jour leur essor sur des pointes pareilles à celles qu'il garde jalousement depuis quelques minutes, à l'instar de diamants hors de prix. Mais quel est donc ce rêve capable d'inciter ainsi des gens de tous âges à sacrifier leurs sacro-saints loisirs ?

On parle de l'opiniâtreté des « mères ». Mais non : en définitive, dans leur grande majorité, elles ne font que « suivre », comme on s'évertue désespérément à courir après un cerf-volant sur la plage. Nathanaël a la vision de toutes ces petites danseuses tirant à travers le ciel, avec une détermination farouche, ce monde empoté, alourdi d'avoir consommé tant d'inanités.

Il contemple les chaussons posés devant lui, bien usés au bout, mais qui brillent cependant. Clara lui a confié qu'elle passait sur leurs pointes du « vernis à quartz ». Ils ressemblent à présent à des barques roses voguant sur l'eau noire de la table en Formica. Il monte à leur bord. Les rubans s'agitent, tels de souples avirons, et il se remet à penser à la petite danseuse qui ornait le couvercle du piano de sa grand-mère. *L'Heure exquise* commence à faire valser les chaussons...

– Vous m'avez l'air à des verstes de nous, mon Prince !

La voix roulante le tire brusquement de ses pensées. Il reconnaît d'abord la canne au pommeau original, la petite robe noire. La vieille dame du Café Marly se tient devant lui et le dévisage de ses yeux sombres, légèrement moqueurs. Qu'est-ce qu'elle fait là ? Il se lève aussitôt, s'incline pour la saluer.

– Je vois que nous étions appelés à nous revoir. Veuillez me pardonner, mais je crois que l'on a besoin de moi..., s'excuse-t-elle tout en répondant à un couple qui vient de lui faire signe.

Elle s'éloigne. Nathanaël voudrait en savoir davantage sur elle, mais il hésite à abandonner les chaussons et le tutu, d'autant plus que la foule vient de l'entourer. Les portes de la salle s'entrouvrent.

– Vite ! Vite ! Mes chaussons ! Mon tutu !

De retour, Clara saisit ses affaires en un tournemain et s'éclipse, puis fait demi-tour et revient embrasser furtivement sa mère sur la joue avant de disparaître en coulisses.

– Quel drôle d'enfant, dit Louise comme pour elle-même. J'aurais dû lui faire un cadeau pour lui porter chance, mais c'est elle qui a trouvé le moyen de me remettre un petit paquet. « Pour me porter chance à moi », m'a-t-elle dit en me l'offrant.

Louise s'assied et entreprend de déballer son cadeau. La boîte contient une petite danseuse pourvue d'ailes comme en ont les anges et qui semble sur le point de s'envoler, sa tête menue dressée vers le ciel. Il s'agit d'un pendentif ; deux perles bleues figurent les yeux.

– Vous voulez m'aider à le mettre ?

Nathanaël accroche le collier autour du cou de Louise. En se penchant, il aperçoit encore au loin la petite dame du Café Marly qui les contemple avec une attention un peu jalouse, lui semble-t-il.

La finale est sur le point de commencer, mais, déjà, le visage de Louise resplendit d'un bonheur intense. De sa main amaigrie, elle tient délicatement l'ange pendu à son cou. Elle se tourne vers Nathanaël :

– Merci d'avoir surveillé les chaussons de Clara. La dernière fois, avant un simple examen, on les lui a volés. Tout n'est pas rose, dans la danse ! sourit-elle en glissant son bras sous le sien.

CHAPITRE 6

L'Heure exquise

L'été pointait son nez de cerise fraîche dans le ciel orageux.

– Je m'attendais à ce que vous me demandiez plus de renseignements, dit Nathanaël.

– À quoi bon ? Ma connaissance vient du cœur, répond Louise. Vous savez la nature et le degré de ma maladie. Après cela, je n'ai plus grand-chose à cacher. Dans l'état où je suis, je n'ai pas le temps de tergiverser. J'ai d'ailleurs toujours agi ainsi et je n'ai pas eu à m'en repentir. Nous avons tous du bon et du mauvais ; si les gens me trompent, c'est plus ennuyeux pour eux que pour moi, non ?

– Voilà une manière de voir les choses, répliqua Nathanaël, légèrement moqueur.

– Pas du tout ! Ils gagnent apparemment dans l'immédiat, mais ils perdent sur le long terme : c'est à eux qu'ils mentent, c'est eux-mêmes qu'ils abusent, vous comprenez ?

– Quand avez-vous décidé d'agir de la sorte ?

– J'ai toujours été ainsi. De nos jours, les gens demandent des renseignements sur tout et sur rien avant de se décider, et ils laissent le temps les rattraper, si bien qu'en définitive ce sont eux qui se font avoir. Par exemple, si j'avais connu les défauts du père de Clara, j'aurais sans doute pris mes jambes à mon cou, mais j'aurais manqué ces nuits d'amour, ces semaines de douce folie que nous avons passées, et, surtout, je n'aurais pas eu Clara : j'aurais donc tout perdu. Sans elle, ma vie se serait réduite à un misérable passe-temps.

– Vous ne regrettez jamais rien ?

– Non, jamais. Il est vrai que le père de Clara donne rarement de ses nouvelles, qu'il n'a aucun sens de ses responsabilités, mais j'ai eu raison de n'écouter que sa musique : un homme qui jouait du violon comme lui ne pouvait être foncièrement mauvais. Grâce à lui, ma vie s'est illuminée. Pourquoi aurais-je voulu l'épouser par-dessus le marché ? J'ai l'impression d'avoir pleinement vécu ma vie et c'est peut-être pour cela qu'elle risque de se terminer si vite.

– Ne parlez pas ainsi !

– Pas de bonnes et vaines paroles entre nous. Nous avons des choses plus graves à faire, comme de sabler ce champagne...

Nathanaël lève sa coupe et trinque avec Louise avant de boire.

– À Clara ! murmure Louise. Surtout, ne lui dites rien auparavant. Je vous l'ai confiée pour le jour où ce qui doit arriver arrivera. Sera-ce demain ? Dans quelques années ? Nous verrons à ce moment-là, ou plutôt vous vous débrouillerez pour continuer sans moi.

– Et si j'avais été marié ?

– Ce qui nous concerne tous deux, c'est Clara. De ce côté-là, tout est en règle. Elle n'a que onze ans. Mon testament est déposé chez le notaire.

Vous avez accepté de prendre la relève. Vous êtes son seul tuteur. À propos, ne trinquez jamais avec elle : elle a toujours eu horreur de ce geste ! Pourquoi ? Cela fait partie des mystères de Clara, ajoute-t-elle en souriant avec tendresse.

– Vous savez si peu de choses de moi, reprend Nathanaël d'une voix inquiète.

– Vous êtes trop beau pour être honnête, c'est cela qui vous tourmente ? Écoutez-moi : j'ai souhaité vous confier Clara dès le premier dîner que nous avons fait ensemble en compagnie de madame Talleyrine. J'ai fait confiance au Ciel qui vous avait envoyé ce jour-là. Je ne voulais surtout pas que ce soit une question d'argent, je ne tenais pas à savoir si vous aviez de la famille, si vous disposiez de moyens. De toute façon, si on s'arrêtait à cet aspect des choses, on n'aurait jamais les moyens d'élever un enfant ! L'important était de vous voir juste *vous* en face d'*elle* !

– Qu'est-ce donc qui vous a décidée, si je peux encore vous poser cette question ?

– Je vous l'ai dit : tout et rien. Peut-être votre façon de répondre aux *pourquoi* ? de Clara. Peut-être la tour Eiffel que vous avez confectionnée ce premier soir. Qui sait ? Votre joie lorsque Clara a remporté le premier prix à l'unanimité à ce concours ? Notre dîner à trois ce dimanche soir ? Nos fous rires ? Vous vous rappelez lorsque nous avons imité le galop d'un attelage de chevaux en tapant sur la table ? Le restaurant entier nous a emboîté le pas... Quelle soirée !... Mais aussi parce qu'en aucun cas je n'étais amoureuse de vous.

– Comment le savez-vous ?

– C'est ainsi : je n'aime que les bruns.

Nathanaël éclate de rire et lève à nouveau son verre, beau joueur.

– Votre réponse aussi m'a rassurée. Quand je vous ai demandé si vous accepteriez, le moment venu, de devenir le tuteur de Clara, vous n'avez posé aucune question, vous avez simplement répondu après un bref silence : « Quel cadeau vous offrir en guise de remerciement ? »

– Et vous m'avez dit : « Avant ma chimio, j'aimerais passer quelques jours au bord de l'Océan ».

– Et nous voici à Biarritz ! Merci, Nathanaël... Vous savez, il n'y aurait pas eu Clara, je ne me serais pas soignée. Cette musique de tziganes me guérit mieux que tous les cachets et toutes les radiations, et voir Clara s'élancer en riant dans l'eau suffit à mon bonheur. J'aimerais mourir ainsi, dans un souffle, sans lui faire subir le spectacle de ma propre souffrance. Mais c'est très égoïste de ma part. Intervient aussi un certain sens de la pudeur... Et puis, j'ai peur, comme tout le monde !

À ce moment, Nathanaël aperçoit Clara qui vient à eux, les cheveux encore mouillés. Elle porte un pantalon bleu marine, un pull en maille clair, et a chaussé des tennis bleu et blanc sans doute achetés exprès pour ce voyage. Il prend soudain peur de ce qu'il a accepté d'assumer. Cela ne fait qu'un peu plus de deux mois qu'ils se connaissent. Il faut à tout prix que Louise aille bien. Jamais il ne pourra se charger convenablement de cet enfant !

– Maman, je meurs de faim ! J'ai fait encore dix longueurs de piscine après notre bain dans l'Océan !

– Ma chérie, dis d'abord bonsoir à Nathanaël.

– Ne l'ennuyez pas avec tout cela ! Nous sommes en vacances. Veux-tu boire quelque chose avant d'aller dîner, Clara ?

– Un verre de Badoit, s'il vous plaît, répond-elle d'un ton trop poli. Ce sera tout, ajoute-t-elle avec une brusquerie soudaine, s'asseyant toute droite dans le fauteuil moelleux du bar du Grand Hôtel.

– Vous connaissez depuis longtemps Biarritz ? s'enquiert Louise pour détendre l'atmosphère.

– J'y venais chaque été avec mes parents. Ici, c'est presque un hôtel de famille.

– Les gens avaient l'air content de vous revoir.

– De fait, après si longtemps..., répond Nathanaël, songeur.

L'espace d'un instant, il a l'impression de voir le couple enlacé franchir le seuil du bar : la blonde Zelda au bras de l'Architecte, grand et puissant. On dirait un chêne piaffant dans le soleil, un fragile rosier en fleurs agrippé à son bras. Au même moment, l'orchestre entame le tango que dansaient toujours ses parents : sans doute le barman, croyant bien faire, a-t-il demandé à l'orchestre de l'interpréter à son intention.

Il avait onze ans ; il était assis à cette même place ; les bougies frémissaient ; au loin, ses parents tournoyaient, se déprenaient, se dérobaient, se reprenaient, tournoyaient derechef sur cet air de *Jalousie*. Lui se sentait oublié, rejeté, seul et misérable sur ce trop grand fauteuil, et une larme honteuse commençait à lui chatouiller le nez.

Il sent une main fraîche, presque froide, se poser sur la sienne : Clara !

– J'aime beaucoup cet endroit, lui dit-elle d'une

frêle voix d'enfant qu'il ne lui a encore jamais entendue. C'est très beau parce qu'on sait qu'il y a l'Océan qui nous attend tout près. C'est comme la vie et la mort : il faut mettre un pied hors de la vie pour commencer à la comprendre. Il faut toujours s'échapper, d'une manière ou d'une autre...

Elle le considère de ses yeux bleus trop clairs. Nathanaël se dit que le regard de Dieu doit être ainsi : en face, on n'a nulle part où se cacher, s'y soustraire. Puis, retirant promptement sa main comme si elle venait de se brûler, elle ajoute :

– C'est très cher, aussi. Dommage !

Louise ne souffle mot, les laisse tous deux à leur conversation.

– J'ai assez d'argent pour nous permettre de passer quelque temps ici, dit-il en s'excusant presque. Ne t'inquiète pas.

– Je ne m'inquiète jamais ! Elle a repris son ton rogue. Moi, de toute façon, j'ai la Danse ! Non, je suis triste pour les autres, c'est tout.

Elle est à nouveau distante, l'air trop sage, avec ses cheveux qu'elle a attachés d'un beau nœud de soie bleu. En la détaillant, il acquiert la certitude que sa mère ne doit pas se mêler de son habillement. C'est elle qui choisit avec un goût exact ce qu'elle souhaite porter.

– Je peux m'absenter un instant ? J'ai oublié de faire quelque chose, demande-t-elle en se tournant vers sa mère. Je reviens !

– Mais oui, ma chérie. Nous avons encore pas mal de temps d'ici le dîner.

Avant de s'éloigner, Clara se retourne brusquement vers Nathanaël et lui lance avec un sourire à charmer la terre entière :

– Merci ! Vous savez, j'aime beaucoup. Elle marque un silence, puis, embrassant l'espace d'un geste théâtral, elle ajoute : Tout !

La voici partie. De qui a-t-elle appris ces attitudes de diva qui n'ont cependant rien à voir avec des gestes affectés de coquette ? On dirait qu'elle a trente ans de scène derrière elle ! À quelle hérédité puise-t-elle ce qu'il y a en elle de meilleur et de pire ?

Il la voit s'arrêter et deviser avec une dame qui tient en laisse un beau labrador au poil clair. Elle se penche et caresse le chien qui lui pose ses deux grosses pattes sur les épaules, lui lèche le visage. En riant, Clara prend une de ses pattes et fait mine de danser avec l'animal qui se prend à pousser des petits cris de joie. Le tango s'achève à l'orchestre. Il se dit en grinçant qu'il est devenu jaloux d'un chien à la robe d'or clair !

– Clara est imprévisible, vous l'avez constaté.

– Vous ne m'avez pas beaucoup parlé d'elle...

– Je n'aime pas les mères qui parlent d'abondance de leur enfant. Le pauvre, après cela, n'a plus aucune chance. Vous aimeriez, avant de rencontrer telle ou telle personne, que quelqu'un vous ait déjà fait l'article ? Vous la découvririez, et cette impression-là sera la vôtre. Chaque être devrait avoir le courage de remettre sa mémoire à zéro face à un inconnu. C'est un peu comme lorsqu'on traduit. Il faut oser ne plus savoir le sens exact d'un mot pour se laisser surprendre par lui comme l'a fait le poète. Tout change tellement en fonction du contexte... C'est pour cela que j'aime le russe. Dans cette langue il n'y a pas une seule façon de dire blanc ; à chaque fois, le Russe utilise un mot différent selon qu'il est question du blanc de la neige, du blanc de...

– Puis-je m'asseoir un moment près de vous ?

Une grosse dame décolorée vient de tirer à elle un fauteuil afin de se joindre à eux.

– Ma fille s'est amourachée de la vôtre, explique-t-elle. Elle n'a que sept ans, mais rêve de devenir une étoile. Il suffit de regarder votre Clara pour comprendre tout de suite que c'est une danseuse. On voit d'ailleurs qu'elle tient de son père, dit la bavarde en lorgnant Nathanaël comme pour le séduire.

De toute évidence, la dame volubile n'est pas près d'endiguer son flot de paroles.

– Alors, dites-moi, où faut-il s'inscrire ? Votre fille fréquente sûrement l'École de l'Opéra ? demande-t-elle à Louise.

– Non, soupire celle-ci, inquiète de l'irruption de la nouvelle venue et déjà lasse.

– Mais pourquoi donc ? Vous n'aimez pas l'Opéra ?

À moins de se fâcher, Nathanaël ne sait trop comment intervenir. À ce moment, la dame se penche vers lui et dit :

– Je prendrai volontiers un kir. C'est léger et ne me fera pas grossir.

Que faire ? Nathanaël maudit sa bonne éducation. Et si Clara revenait ? Il hèle le maître d'hôtel.

– Un kir pour madame.

Dieu que je suis lâche ! pense-t-il.

– L'Opéra est quand même la meilleure école, non ? poursuit l'autre.

– C'est-à-dire..., tente d'expliquer Louise. En vérité, Clara s'y est présentée. Elle avait déjà neuf ans. Mais, à cette époque, elle était trop petite.

– Eh bien, vous n'avez qu'à recommencer. On peut se présenter tous les ans, non ? stridule la dame d'une voix suraiguë.

Louise semble embarrassée. Puis elle finit par se lancer à l'eau avec énergie. Regardant droit dans les yeux la grosse dame, elle lui assène :

– Le matin où Clara devait se présenter, je suis tombée très malade. Clara a dû appeler une ambulance, et, depuis ce jour, elle ne veut plus entendre parler de l'École de l'Opéra.

La dame fait un *Oh*, puis un *Ah !* Dans sa brutalité, le récit de Louise lui a ôté toute superbe.

Heureusement, le barman apporte le kir. L'intruse prend le verre de ses mains et le boit aussitôt comme si elle craignait une contagion quelconque. Étrange, se dit Nathanaël, comme le côtoiement de la maladie peut faire perdre toute assurance à certains. La dame semble tout à coup défaite, perdue. Elle hasarde timidement :

– Et maintenant ?

– Elle va entrer au Conservatoire. Mais, si vous le désirez, je vous fournirai tous les renseignements. Il faudrait d'abord que votre fille aille chez mademoiselle Serane.

– Ah oui ?

La dame ne paraît plus du tout savoir où elle en est.

À ce moment, Clara surgit, tenant par la main une petite fille beaucoup plus jeunette qu'elle : six, sept ans. Blonde, joufflue, des cheveux frisés, des fossettes, elle ressemble trait pour trait à un ange de Tiepolo.

– Maman, je te présente Rose-Marie. Bonjour, madame.

Clara fait la révérence, puis, admirablement bien élevée, soudain aussi maternelle que mondaine, elle avance un fauteuil pour Rose-Marie qui ne la quitte pas des yeux. La petite semblait happée par la présence de sa compagne, comme un objet errant dans l'espace peut l'être par le sillage d'une comète.

La mère de Rose-Marie se rengorge et se pavane encore plus en présence de sa fille.

– Tu vois, ma chérie, je demandais justement des renseignements pour toi. Tu seras une grande danseuse, tu verras !

– Tu veux quelque chose à boire, Rose-Marie ?

Nathanaël a repris les choses en main. Depuis un certain moment, il a l'impression que la situation lui échappe. Mais, à sa vive surprise, la mère de Rose-Marie se lève brusquement :

– Non, non ! Il est déjà sept heures. Rose-Marie doit aller dîner. Mais, si vous le permettez, cela me ferait grand plaisir d'avoir votre fille avec moi. Rose-Marie dîne dans la chambre avec la nurse. Si Clara veut bien se joindre à elle...

– Non, non, vous êtes très gentille. Clara dîne toujours avec nous. En revanche, elle peut tenir compagnie à Rose-Marie jusqu'au dîner : disons vers huit heures.

– Je peux emporter une bouteille de Badoit avec moi ?

– Mais oui, mon cœur !

Clara se lève, et, avant de s'éloigner, embrasse

sa mère sur le front, puis, se tournant vers Nathanaël, lui décoche un coup d'œil en haussant les sourcils dans une grimace qui signifie : « Dans quel guêpier je me suis fourrée ! »

Louise les regarde partir et murmure :

– Pauvre gosse ! Sa mère la dévorera toute crue.

– Je n'avais jamais remarqué à quel point Clara saisit les situations avec une acuité extraordinaire.

– Vous lui découvrirez encore bien d'autres particularités, vous verrez...

Louise lève son verre à l'avenir. Nathanaël lui trouve les joues un peu rouges et les yeux trop brillants, mais n'ose rien dire.

– Heureusement, elle a sifflé son kir et est partie sans demander son reste, reprend Louise avec humour à propos de l'intruse. Elle a cru que j'étais atteinte de quelque maladie contagieuse.

Il se force à sourire à son tour, puis questionne Louise :

– Ainsi, vous avez décidé de mettre Clara au Conservatoire ?

– Je regrette l'École de l'Opéra, mais il y a un autre problème que je ne voulais pas évoquer tout à l'heure devant notre envahissante amie : quand Clara s'est présentée, non seulement elle était alors trop petite...

– Vous voulez dire trop jeune ?

– Non, trop petite en centimètres... mais, de surcroît, on lui a fait une réflexion à propos de son visage assez ingrat. Elle ne me l'a confié que quelque temps après. C'était du style : « Avec la tête que tu as, il sera impossible de t'exhiber dans un ballet. »

– Je la trouve pourtant belle, proteste Nathanaël.

– Elle n'a pas des traits communs et s'ils ne cherchent que de jolis minois, ce n'est pas gagné d'avance pour elle ! Je crois qu'elle sera sinon belle, du moins unique. Peut-être d'ailleurs deviendra-t-elle très belle – car c'est aussi une question d'âme... Mais je suis sa mère et vous savez comment sont les mères, ajoute Louise en imitant la voix de la dame au kir, avant de reprendre : D'un autre côté, mon avenir est de plus en plus incertain, comme vous pouvez le constater...

Elle vient d'être reprise de ces petites quintes de toux qui la secouent légèrement mais la laissent épuisée. Elle a du mal à retrouver sa respiration :

– Vous savez que les élèves de l'Opéra peuvent être renvoyés à tout moment, dans le courant de l'année. Quelle angoisse ! Je n'imaginais pas Clara sans lycée, privée de danse, et, à dire vrai, je n'ai pas eu le courage de recommencer toutes ces démarches, surtout contre sa volonté à elle.

– Mais elle est devenue très grande maintenant, remarque Nathanaël.

– C'est aussi le problème de la danse : le physique peut varier d'une année à l'autre. Chez mademoiselle Serane, j'en ai vu de grosses devenir menues, des maigres s'élargir du bassin, surtout à la puberté, d'autres grandir soudain du buste ! Je puis vous dire que le fameux *cou de pied* devient alors parfois très secondaire, car c'est le corps tout entier qui ne va plus ! Elle tousse à nouveau, puis murmure : Je suis rassurée qu'elle aille au Conservatoire. Elle était trop solitaire. Ainsi, elle ira au lycée le matin et dansera l'après-midi.

– Comment cela ? s'étonne Nathanaël qui ne s'est pas posé jusqu'ici la question des études.

– Il y a des horaires aménagés spécialement pour les musiciens et les danseurs, qui passent un baccalauréat spécial. J'aimerais d'ailleurs qu'après le bac elle continue dans la mesure du possible à étudier. Les langues, par exemple, puisqu'elle est douée, mais je redoute que tout cela se révèle peu conciliable...

– Et mademoiselle Serane ?

– Elle continuera de la voir. Elle y tient beaucoup, au demeurant. Mais c'est un cours privé et je n'ai pas beaucoup d'argent. En outre, à l'âge de Clara, les meilleurs éléments sont déjà partis à l'École de l'Opéra et je voulais pour elle une école d'État afin qu'elle se retrouve parmi des élèves d'un niveau égal au sien. Peut-être arrêtera-t-elle d'ailleurs la danse ? Je ne voulais pas non plus que son lien avec mademoiselle Serane soit exclusif. Clara a déjà tendance à se renfermer. Le Conservatoire lui fera prendre conscience qu'il existe d'autres filles. Ainsi se détachera-t-elle un peu de moi. Elle aura un groupe social auquel elle pourra se sentir appartenir...

– Tout à l'heure, vous me prêchiez la folie, et vous voici bien raisonnable, pour ne pas dire défaitiste !

– Je n'ai jamais pris aucune décision à propos de Clara sans en parler d'abord avec elle. Au plus profond d'elle-même, je crois qu'elle rêvait de l'École de l'Opéra, mais, depuis lors, il lui a fallu se heurter à d'autres, et elle s'est durcie intérieurement. Si Clara vient à être rejetée, elle disparaît soudain pour réapparaître en souveraine, souvenez-vous-en... Je l'ai habituée à considérer les échecs comme les meilleures leçons qu'un artiste puisse mettre à profit pour progresser. Si Clara tient vraiment à danser, elle s'obstinera d'autant plus que le chemin se sera révélé difficile. Mais voyez, je ne peux m'empêcher à mon tour de parler d'elle comme les autres mères...

– Non, non, nous parlons de ses études et de la Danse, qui est un domaine encore inconnu de moi.

– Il l'est aussi pour moi, répond Louise en levant son verre vide.

– Voulez-vous une autre coupe ? s'enquiert aussitôt Nathanaël.

– Volontiers ! Je ne sais pas ce que j'ai... Voilà trois jours que nous sommes arrivés, mais, ce soir, je me sens comme délivrée de tout souci. Grâce à vous !

Cependant que Nathanaël fait signe au barman, il voit surgir Clara en compagnie de la petite Marie-Rose.

– J'ai obtenu qu'elle vienne dîner avec nous, à condition qu'on la ramène vers neuf heures. La nurse n'a pas vraiment l'air drôle...

– Clara ! s'exclame Louise avec un regain d'inquiétude.

– Non, laissez, Louise. C'est un plaisir d'accueillir cette charmante demoiselle à dîner !

L'orchestre a attaqué une *czardas* endiablée. Nathanaël se dit que sa vie aussi a pris une folle allure. Il ne maîtrise plus grand-chose. Bientôt, il va peut-être traîner un pensionnat de filles derrière lui ! Dommage que Viviane ne soit pas là, non plus que sa vieille dame. Celle-ci, la reverra-t-il un jour ?

– Nathanaël, vous devriez danser avec maman, lance Clara.

Elle se moque ? Il la regarde avec défi. Elle tient Rose-Marie par la main et, le menton levé, le considère elle aussi sans ciller.

– Vous avez peur que je vous juge ? ajoute-t-elle avec malice.

– Absolument pas !

– Vous vous sentez trop vieux pour maman ?

– Clara ! s'exclame Louise.

– Laissez ! C'est notre bataille... Pourquoi dis-tu cela ?

– Vous aimeriez mieux danser avec votre vieille amie ? poursuit Clara.

– Quelle amie ?

– Tatiana ! Elle m'a parlé de vous. Elle aussi était à Fontenay. Elle assiste souvent aux concours de danse, aux spectacles. Vous vous souvenez ? C'est elle qui est venue nous féliciter. Une vieille dame en noir...

– Tu la connais ?

– C'est mon secret ! « *Mon Prince...* » Car elle vous appelle « Mon Prince », n'est-ce pas ? Elle m'a tout raconté de vous.

Nathanaël se demande si Clara n'est pas un peu sorcière... Pour mieux l'inquiéter, voici que Rose-Marie lui décoche une affreuse grimace qui a le don de plonger Louise dans un fou rire, bientôt suivi de quintes de toux.

– Ne vous laissez pas démonter par ces enfants, Nathanaël !

– Rira bien qui rira le dernier ! réplique Nathanaël à l'intention de Clara, puis, se tournant vers Louise et se levant : M'accordez-vous la prochaine danse ?

– Mais ce n'est pas l'heure, lance Clara, tout à coup inquiète. On ne danse pas avant le dîner !

– Il n'y a pas d'heure pour inviter ta mère à danser !

Il tend la main à Louise et l'entraîne vers la piste encore déserte. L'orchestre s'interrompt et entame *L'Heure exquise* sans que Nathanaël ait rien demandé.

Légère, Louise se montre la digne mère de sa fille. C'est un ravissement de tourner avec elle. Il retrouve le plaisir de la valse que son père lui a jadis inculqué. Comme lui, il adore danser des valses, des tangos, des javas. Tous les pas qu'il lui a enseignés. Il y a combien de temps, maintenant ? Il retrouve les gestes de l'Architecte, sa joie de vivre par et pour la musique.

Tout là-bas, Clara les contemple. Il n'y a sur son visage ni plaisir ni moquerie. Elle demeure impassible. Elle semble attendre son heure.

Elle murmure à l'oreille de Rose-Marie :

– Maman est différente, ce soir. J'ai peur...

À trois heures et quelque, le téléphone réveille Nathanaël dans sa chambre. C'est Clara. Elle hurle que sa mère a cessé de respirer :

– Elle m'a appelée : Clara ! Clara ! Puis elle a eu comme un hoquet...

CHAPITRE 7

La larme de Dieu

Un pantalon. Un pull. Les espadrilles sous le fauteuil. La petite doit s'être affolée pour rien. Il la voit aussitôt au bout du couloir, silhouette toute menue qui le guette à des milliers de kilomètres de distance, lui semble-t-il. Il court. Elle rentre dans la chambre, lui sur ses pas.

Louise dort, blanche, trop blanche, d'un blanc qui a trop présumé de ses forces, comme un soleil épuisé de fin d'hiver. Il tâte le pouls. Il sait déjà. Il a compris. Il décroche le téléphone.

– Appelez les pompiers... Un médecin... Madame Isella a eu un malaise.

Il doit faire comme s'il y avait encore une chance.

Ne rien laisser paraître à Clara. Faire comme si tout n'était pas déjà trop tard. Louise voyage sans eux. Il a envie de fuir, comme il a déserté, jadis, après l'accident de ses parents, mais, cette fois, il est pris au piège. Clara s'est rencognée à l'extrême bout du fauteuil ; ses yeux ne quittent pas la forme allongée sur le lit. Elle ressemble à un petit félin prêt à bondir. Il remarque ses mains aux longs doigts, enlacées l'une à l'autre.

Non, il ne proférera pas une seule parole fausse : pas à Clara ! Surtout ne pas lui raconter que sa mère a eu un simple étourdissement, un malaise passager. Ne pas la réconforter. Ne rien dire : attendre avec elle en silence le verdict de mort. Elle comprendra. Elle a déjà compris, se dit-il. Laisser le rituel s'accomplir. Les pompiers. Le médecin. En leur présence, ce sera moins sentimental, tout deviendra factuel. Il n'y aura nul besoin de faux-semblants.

À présent, n'ont-ils pas tout leur temps ? Louise leur a laissé la vie pour ne pas l'oublier. Il revit l'annonce de la mort de ses parents. Le corps durci, crispé, qui n'arrive plus à trouver assez d'espace où tenir, la nouvelle qu'on ne comprend pas d'emblée – pas bien, en tout cas –, l'impression d'avoir traversé un épais mur de verre et de regarder les autres, derrière, s'agiter inutilement, et ce silence en soi, à soi : cette steppe enneigée et vide qui envahit tout l'esprit. On ne souffre pas encore, puisque aucune information ne circule plus : un grand blanc. Tout est blanc : le drap du lit, le visage de Louise, Clara, leur avenir à tous deux. Le blanc du livre. Il regarde Clara qui regarde sa mère. Juste le silence avant la détonation qui ne va pas manquer d'éclater.

Tout à coup, ses yeux se baissent sur les pieds de Clara ; il distingue des bosses, d'étranges contours ; il se rappelle vaguement que Louise lui avait parlé des pieds de danseuse déformés, abîmés, peinturlurés de Mercurochrome ; de la peau qui durcit et protège comme un second chausson, avait-elle ajouté. Quand donc lui avait-elle décrit cela ? Hier soir... Il y a si longtemps !

Les pieds de Clara : on dirait des pattes d'oiseau ; surtout les doigts du milieu, les plus longs, où l'on voit se dessiner tous les petits os. Il pense subitement : les pieds des anges n'auraient-ils pas cette forme étrange ?

Elle a bondi. La détonation a dû retentir, se dit-il. Des bruits dans le couloir. Elle a déjà ouvert la porte. En une seconde, il y a foule à l'intérieur de la chambre. Les pompiers s'affairent.

– Vous êtes son père ?

– Non, un vieil ami, répond Nathanaël dans un état second, mais il a compris : il faut éloigner Clara.

Il la prend doucement par les épaules :

– Il faut les laisser faire, Clara.

Elle le suit dans le couloir ; soudain, il sent son corps qui se raidit :

– Je veux rester près de maman pour le cas où elle aurait besoin de moi, murmure-t-elle d'une toute petite voix.

Elle s'adosse contre le mur, puis se laisse glisser, accroupie, les yeux fixes. On dirait un sphinx gardant une chambre secrète. La chambre de la mort, songe Nathanaël. À son tour, il s'adosse contre le mur opposé. Il ne supportera pas plus longtemps de ne rien faire. De ne rien pouvoir faire. Heureusement, il voit rappliquer un petit homme rondouillard, l'air mal réveillé, avec une grosse sacoche de médecin. Il s'avance à sa rencontre. Tout plutôt que rester immobile, maintenant que l'épilogue est irrévocablement en marche.

– Bonjour, docteur, chuchote-t-il d'une voix précipitée. J'ai appelé les pompiers. C'est la mère de la petite. Elle avait un cancer et était très fatiguée...

Le petit homme à la face joviale a saisi à peu près la situation. Il pénètre dans la chambre, referme la porte. Clara n'a pas bougé un cil.

Nathanaël s'accroupit à côté d'elle sans trop se rendre compte de ce qu'il fait. Simplement, ses jambes ne le portent plus. Il vient d'encaisser le premier coup : il lui faut reprendre souffle. Il lui a saisi la main, ou bien c'est elle qui a eu le geste de prendre la sienne. Ils restent un instant comme deux enfants perdus tandis qu'autour d'eux un monde entier s'écroule. C'est elle, à présent, qui lui tient la main ; il a même l'impression que cette paume d'enfant est gigantesque et qu'il y repose tout entier, comme dans celle d'un Dieu qui hésiterait encore à le broyer.

La porte s'ouvre. Il se redresse aussitôt. L'un des pompiers, le plus âgé sans doute, lui dit :

– Le docteur souhaite vous parler. Nous n'avons rien pu faire, monsieur, le cœur a lâché.

Clara jaillit, les bouscule, se met à courir. Elle est sur le point de disparaître. Ne pas la laisser s'enfuir ! Il se lance aussitôt à sa poursuite. Elle dévale l'escalier quatre à quatre. Il n'a que le temps de la happer entre le troisième et le deuxième étage. Elle le frappe de ses deux poings. Elle se débat sans le moindre cri, sans une parole. Il la serre, l'immobilise. Elle émet un bref sanglot, puis le repousse :

– Laissez-moi, maintenant.

Elle remonte, silencieuse. Il la suit marche après marche. Il pense qu'il est semblable à un geôlier ramenant sa prisonnière. Ainsi, c'est cela qui l'attend : il faudra qu'il la ramène sans cesse à la maison. Quelle maison ? Il voudrait faire demi-tour. Qu'a-t-il à faire au juste dans cette histoire ? Qu'elles se débrouillent donc toutes avec leurs mères vivantes ou mortes ! Qu'importent toutes ces petites filles ! Il déteste celle-ci. Il enterrera Louise, puis trouvera bien quelqu'un à qui confier Clara.

Ils sont revenus à l'orée du couloir. Il marque une seconde d'arrêt avant de l'arpenter de nouveau. Le couloir de la mort, pense-t-il en reprenant haleine.

Pour la première fois, il remarque les cheveux de Clara arrangés, sans doute pour la nuit, en petites nattes tressées qui tressautent. Elle ne marche pas comme un être humain ; elle volète. Il la regarde mieux : elle pose d'abord le pied normalement, mais elle se dresse ensuite sur la pointe avant de poser l'autre. Son corps roule et déferle comme une vague. Elle s'est immobilisée devant la porte de la chambre. Elle attend Nathanaël, se retourne vers lui avec un regard de détresse et d'abandon qui lui ôte ses dernières forces.

– Nous allons entrer, dit Nathanaël au pompier.

Louise, le visage déjà un peu plus cireux maintenant. Heureusement, le médecin a rajusté proprement le drap. Clara seule au milieu de tous ces hommes. Elle les regarde l'un après l'autre : ils baissent la tête. Tous sans un mot, comme s'ils consentaient à la sentence. Alors il s'avance pour provoquer une parole chez le médecin. Celui-ci montre Louise et marmonne :

– Nous ne pouvions plus rien faire. Elle est

morte sans souffrir. Si vous voulez, je vais m'occuper de tout avec le directeur.

Clara a baissé la tête. Elle ravale un sanglot, puis pivote sur elle-même, regarde Nathanaël. Il pense : c'est la fin du procès. Il songe bêtement à Jeanne d'Arc.

– S'il vous plaît, dit-elle d'une voix minuscule, vous pouvez faire tout ce qu'il faut avec monsieur le médecin. Mais j'aimerais rester seule avec maman pour lui dire...

Elle n'achève pas. La bouche de l'enfant s'est crispée, elle se mange les lèvres tandis que ses yeux ruissellent, puis elle se mordille plusieurs fois la main comme pour étouffer des cris.

Les hommes hésitent, mais Nathanaël leur fait signe. Il sort derrière eux. Il lui fait confiance : il faut maintenant laisser la mort accoucher de l'enfant : cette seconde naissance doit se dérouler sans témoin.

Pourtant, tandis qu'il s'éloigne, Nathanaël ne peut s'empêcher de se demander ce qui se passe à l'intérieur de la Chambre secrète.

Tout a été vite. Il est presque cinq heures du matin. Ils ont emporté Louise dans un reposoir. Ils lui feront sa toilette et, en fin de matinée, Clara pourra revenir la voir. Il fallait que tout soit rentré dans l'ordre à l'heure où les premiers clients se réveillent. Tout a été accompli avec discrétion et célérité. À présent, ils sont seuls dans la chambre désertée.

Quand Nathanaël est revenu au bout d'une longue demi-heure, Clara avait fait un brin de toilette et s'était habillée. Il s'attendait à tout sauf à cela. Elle avait refait son chignon de danseuse, passé un pantalon sombre, un chemisier blanc, une veste. Elle claquait des dents. Elle se tenait droite – ni assise, ni appuyée – au milieu de la pièce. Il lui a expliqué qu'on allait venir chercher sa mère.

– J'aimerais aller sur la terrasse pendant ce temps-là, a-t-elle demandé.

Il a acquiescé, comprenant qu'elle ne tenait pas à voir enlever le corps de sa mère. Puis il est venu la rejoindre.

Le ciel commence à s'entrouvrir légèrement, mais les étoiles sont encore partout visibles. Elle a posé ses deux mains sur la balustrade et écoute l'Océan.

Le moment est venu, se dit Nathanaël, d'expliquer la décision de Louise. Il entame alors pour l'enfant le récit de sa propre vie : ses parents tués dans un accident d'auto par un fou qui avait trop bu, la compagnie de sa grand-mère Sarah, Berthe et Ferdinand. Il lui parle de son père l'Architecte, de cette tour Eiffel en papier qui avait peut-être décidé Louise à la lui confier, elle, Clara, si elle venait à mourir ; sa décision de ne point en parler à sa fille...

Le visage fermé, Clara écoute sans mot dire. Il s'arrête, laisse le bruit de l'Océan rythmer le silence. Enfin, elle lève la tête et, regardant lentement le ciel, elle désigne quelques étoiles.

– Où est la Grande Ourse ? demande-t-elle d'une voix claire.

A-t-elle seulement écouté tout ce qu'il lui a dit ?

Il cherche, affolé. Il ne sait plus rien. Qu'est-ce

qui lui prend de chercher après la Grande Ourse en un moment pareil ? Alors elle ajoute :

– Pourquoi maman m'a fait cela ? Pourquoi ne m'a-t-elle pas laissée choisir ? Tu ne connais même rien aux étoiles. Je vous déteste !

Il a envie de la gifler, mais s'aperçoit que tout le corps de la fillette s'est mis à grelotter.

– Clara, lui dit-il doucement. Viens, tu vas prendre froid. Il faut que tu te reposes, maintenant.

– Je n'ai plus nulle part où aller. Ici, au moins, tout est paisible. Je peux écouter l'Océan.

Une idée le traverse : il faut absolument qu'elle bouge, qu'elle remette en elle la vie en mouvement. Tout son corps a besoin de pleurer, de gémir, de s'exténuer. Tout plutôt que le silence et l'immobilité !

– Veux-tu que nous allions marcher le long de l'eau ? Je vais te chercher un vêtement chaud. Attends-moi.

– Ne touchez à rien dans la chambre de maman, s'il vous plaît...

– D'accord. Je vais dans la mienne, prendre quelque veste ou gilet.

Dans le couloir puis l'escalier – il recule à l'idée d'emprunter l'ascenseur –, il se met à réfléchir à tout ce qu'il va devoir faire. Où enterrer Louise ? Il faudra appeler le notaire dont elle lui a confié les coordonnées. Et que faire pour prévenir sa propre grand-mère, ainsi que Ferdinand et Berthe, de tout ce qui vient de lui arriver ? Bientôt il va leur ramener une petite fille à la maison ! Et la danse ? Elle doit impérativement continuer. En pénétrant dans sa chambre, il en arrive à se dire que la seule chose évidente, dans tout ce gâchis, c'est la Danse. Cela relègue tous les autres problèmes au second plan. Il s'empare d'un veston au hasard.

De retour auprès de Clara, il s'aperçoit trop tard qu'il a emporté la veste de smoking qu'il avait mise dans sa valise en prévision de quelque dîner de fête.

– Pardonne-moi, je ne sais plus très bien où j'en suis...

– Ça promet ! dit-elle d'un ton apitoyé, presque maternel.

Ils marchent longtemps sans rien dire. Clara a relevé le bas de son pantalon et ne quitte pas des yeux l'eau remuante. Au bout d'un long silence, elle s'arrête face à l'Océan :

– Il faut ramener maman à Paris. Je veux qu'elle ait une tombe là-bas, près de moi, et surtout un très bel enterrement, très gai, avec beaucoup de fleurs et de musique. Surtout pas une messe sinistre, à la va-vite. Je veux que ce soit mieux qu'un grand mariage. Que je puisse m'en souvenir toute ma vie. Je veux de la musique de ballet, précise-t-elle d'une voix presque menaçante. Vous saurez organiser tout cela ? Maman, elle, savait être heureuse d'un rien. Elle faisait plein de bêtises avec moi. Elle croyait aussi en Dieu.

Les larmes se mettent à inonder le visage de la fillette qui se tourne à nouveau vers l'horizon. Un vent léger dessine des risées sur les eaux.

Immobile à côté de Clara, face à cet Océan qui vient peut-être de recueillir dans une larme la vie de cette enfant, il se demande si chaque goutte de l'immensité salée ne lance pas désormais un appel aux humains devenus sourds, et il se dit que Louise avait probablement raison de croire en un Dieu : sinon, pourquoi se retrouverait-il ici, par un petit matin de juillet, aux côtés de cette gamine emmitouflée dans sa veste de smoking ? Un Dieu qui commettrait des bêtises, comme la mère de Clara, pourquoi pas ?

Clara tend sa veste à Nathanaël, elle s'éloigne de l'eau et, tout en regardant le ciel, met ses pieds en position. Il reconnaît la cinquième position qu'il avait vu prendre aux petites élèves chez mademoiselle Serane. Elle arrondit les bras au bas de son corps et esquisse ce qu'il croit être un port de bras.

Il s'est assis un peu plus loin, pour ne pas la déranger, mais ne la quitte pas des yeux. Il lui semble entendre petit à petit de la musique. Peut-être est-ce lui qui est mort ?

CHAPITRE 8

Les lapins et le petit violon

Il faisait une chaleur à ne plus bouger d'un millimètre et pourtant Nathanaël courait à tort et à travers d'une pièce à l'autre de la maison. Les lapins s'étaient encore échappés alors qu'il s'évertuait à leur remettre de l'eau. La vieille Berthe et son Ferdinand étaient partis pour quelques jours chez une vieille cousine, comme chaque année ; Paris était désert et il ne restait ici que lui, ses deux bestioles qui galopaient plus vite que l'éclair, et sa grand-mère qui somnolait en ce début de soirée.

Il aperçut un lapin qui grimpait déjà l'escalier huit à huit en direction des appartements de Sarah ; il se précipita pour l'attraper avant qu'il n'entre déranger la vieille dame ; à peine fut-il parvenu en haut des marches que la petite bête fit demi-tour et redévala les marches, laissant Nathanaël s'aplatir sur le tapis. Il redescendit à toute vitesse, mais l'espiègle animal avait déjà disparu dans son bureau où son congénère avait tranquillement entrepris de grignoter *Guerre et Paix*. C'en était trop ! Celui-là allait passer à la casserole ! se promit-il. Mais c'était du domaine de l'impossible.

On ne touchait pas aux lapins nains de Clara. Il en était lui-même le gardien, redoutant par-dessus tout de constater au réveil la disparition ou la mort de l'un d'eux. Il en faisait même des cauchemars. L'animal coupable gigotait entre ses mains ; il le replaça délicatement dans sa cage et la recouvrit aussitôt pour qu'au moins celui-ci restât tranquille, puis partit à la recherche de l'autre.

– Nathanaël !

Sa grand-mère l'appelait maintenant. Il remonta aussitôt à l'étage supérieur.

– Nathanaël !

– Oui, Grany, j'arrive ! Qu'est-ce qu'il y a ? s'enquit-il d'une voix essoufflée.

Mais la vieille dame lisait, paisiblement allongée sur sa méridienne à l'ancienne.

– Qu'est-ce que tu fabriques, mon chéri ? Tu fais un de ces bruits ! On ne peut plus lire tranquillement, avec toi.

À ce moment, ils entendirent comme un roulement de tambour, suivi d'un fracas.

– Que se passe-t-il encore ? interrogea la vieille dame, légèrement inquiète.

– Les lapins, Grany, les lapins nains qui ne le sont plus du tout. À mon avis, ils vont devenir des vaches !

– Comme tu es méchant avec ces petites bêtes ! Heureusement qu'il y a Clara. Tu n'es qu'un égoïste, toi. Cette petite embellit notre maison. Qu'elle nous revienne vite ! Quand vas-tu la chercher, déjà ?

– À la fin de la semaine, répondit Nathanaël sur le pas de la porte, s'enquérant des méfaits qu'était en train de perpétrer l'autre rongeur.

– Bon, je te laisse. J'ai du travail.

– Du travail ? La vieille dame haussa les épaules. Tu ne fais rien de toutes tes journées. Quand je pense à cette petite qui, en plein mois d'août, supporte encore un stage de danse après tout ce qui lui est arrivé !

– Mais c'est elle qui a voulu le faire ! Il faut qu'elle danse. Impossible pour elle d'arrêter deux mois. Elle n'est d'ailleurs pas la seule : elle est avec Viviane... La Danse, Grany, c'est de la folie !

À cet instant, un autre bruit de verre brisé retentit à l'étage inférieur.

– Miséricorde ! soupira Nathanaël, et il se précipita.

Il aperçut aussitôt l'encrier en morceaux, et le lac sombre qui déjà s'agrandissait sur le carrelage tandis que Nijinski – tel était bien le nom dont Clara l'avait amoureusement affublé –, perché sur son oreiller, était appliqué à élargir un trou d'où s'échappaient des plumes. Nathanaël plaqua le lapin sur le lit avant qu'il ne s'étouffe en avalant le duvet. Il fallait que Clara retrouve ses lapins sains et saufs, quitte à ce que lui-même bascule dans la démence qui avait guetté le vrai Nijinski. L'animal se débattit, le griffa au bras, mais il parvint à le déposer à côté de Louis XIV, son congénère, qui trônait au milieu de la cage. Voilà ! Ils se tiendraient au moins tranquilles jusqu'au lendemain matin.

Il alla ramasser son oreiller pour en changer. À ce moment, il remarqua les toutes petites billes noires dans les plis du drap. À cause de la chaleur, il avait laissé le lit ouvert. Avec horreur, il comprit que Nijinski y avait déposé sans vergogne de petites crottes. Il s'empara de la cage et la transporta à la cuisine. Tant pis s'ils crevaient sans assistance durant son sommeil ! Il n'en pouvait plus.

Sitôt remonté, il changea le drap avec rage. Où était sa tranquillité, son luxe ? Entre les travaux toujours inachevés en vue d'aménager pour Clara une salle de bains contiguë à sa chambre et les lapins qui projetaient à travers les barreaux de leur cage des graines et du foin qui voltigeaient jusque dans son bureau, il ne pouvait plus ni écouter de la musique, ni ouvrir un livre, ni même d'ailleurs penser à rien. Il devenait comme ces femmes d'intérieur qui lavent, frottent et astiquent toute la sainte journée. Pour la première fois, il se demanda si la vieille Berthe n'était pas en fait bien plus intelligente que lui. Il songea aussi à Louise qui avait élevé seule Clara. Il se laissa tomber dans le fauteuil, mécontent et épuisé. À ses pieds, l'encre continuait son bonhomme de chemin : il regarda avec fascination ce liquide noir dans lequel il avait rêvé jadis de se noyer lorsqu'il se lamentait de ne pas être écrivain. Il se dit qu'au lieu d'écrire sur les grandes choses, peut-être saurait-il écrire sur les petites tout en nourrissant les lapins ou en enlevant les taches... Seul, dans le silence revenu, penché sur ce petit lac qui s'élargissait devant lui, il commençait à comprendre que le quotidien peut aussi ouvrir les portes du sublime. Prenant une plume que lui avait offerte, au cours d'un très ancien réveillon, une amie dont il aurait pu tomber amoureux, il la trempa dans l'encre qui finissait de se répandre, prit une feuille de papier blanc et écrivit : *Les lapins dormaient avec sérénité à la cuisine tandis qu'au-dehors...*

Il reposa la plume.

Oui, il fallait écrire comme on part à la recherche de lapins, sans états d'âme, sans lyrisme, simplement parce qu'il ne faut en aucune manière les laisser s'échapper. Que c'est pour eux une question de vie ou de mort. Ainsi en était-il avec les mots. Il fallait les nourrir chaque jour, bêtement, même s'ils foutaient le camp à tort et à travers en déposant leurs petits pâtés noirs sur le blanc des pages.

La chaleur devenait assourdissante, ou bien était-ce son sang qui tapait avec fracas à ses tempes. Il allait avoir une attaque, se dit-il avec sollicitude envers lui-même. Parce qu'il n'y avait peut-être déjà plus rien à faire pour le sauver, il se releva, descendit à la cuisine, prit une serpillière pour éponger l'encre qui risquait d'abîmer irrémédiablement ses tommettes.

Dès qu'il eut rallumé dans la cuisine, les lapins se lancèrent dans une course effrénée à travers leur cage, se piétinant, sautant l'un par-dessus l'autre. Épouvanté, Nathanaël remonta l'escalier, en sueur. Il essuya l'encre. Les mains tachées, il alla quérir un seau d'eau savonneuse. Au bout de quatre allées et venues, le sol enfin apparut net.

Relevant la tête pour reprendre souffle – en définitive, il n'avait pas eu d'attaque, se dit-il avec humour –, il aperçut l'étui noir délicatement posé sur la grande commode marquetée Boulle qui lui venait de sa mère.

Abandonnant la serpillière, il s'approcha, examina l'étui, puis alla se laver les mains – en vain, les taches d'encre restaient –, s'approcha de nouveau, caressa la petite poignée, puis, troublé, comme s'il transgressait un interdit, fit jouer les serrures qui claquèrent avec un bruit sec, comme un lointain coup de feu. Il prit une longue inspiration pour se redonner courage, puis ouvrit avec douceur l'étui qui émit une faible plainte. Bouleversé, il admira le petit violon reposant sur le velours bleu. Dans le couvercle, l'archet minuscule était à lui seul un bijou. La poignée, entourée d'une sorte de ciselure bleutée, brillait sous l'éclat tamisé de la lampe qu'il avait allumée, et se terminait par une sorte de capuchon doré. Une fine tresse bleu et or courait à l'intérieur du couvercle. Il effleura la mentonnière où Clara, tout enfant, avait dû poser délicatement ou gauchement son menton, guidée par son père qui lui avait offert ce violon accordé à la couleur de ses yeux avant de s'en repartir en voyage. Il disparaissait ainsi un mois, un an. L'enfant avait désespérément travaillé le violon, peut-être pour rejoindre ce père, ou le faire revenir, mais c'était la Danse qui l'avait emporté. Il réentendait la voix pleine de fierté de Clara, le jour où il avait fallu déménager l'appartement de la rue Gramont loué par Louise. Elle s'était retournée, farouche, son violon dans les bras, et, d'une voix étrange, avait lancé à Nathanaël qui avait commencé, avec l'aide de Berthe et de Ferdinand, à ranger les affaires :

– C'est mon père qui me l'a offert ! Chaque fois qu'il passait à la maison, il me jouait de la musique jusque très tard dans la nuit. Maman était obligée de prévenir les voisins. À ce souvenir, elle avait essuyé furtivement une larme. Pauvre maman !

Moi, je riais avec papa de la fête qu'on allait faire. Car c'était une vraie fête. Il apportait du champagne. Même toute petite, je buvais une goutte, et j'étais paf. Il m'a offert ce violon, j'avais tout juste trois ans. Je suis sûre que je m'en souviens...

Clara parlait avec des accents volontaires comme si elle redoutait qu'on la contredît.

– Maman avait allumé des bougies. Il s'est agenouillé et a déposé l'écrin à mes pieds, puis il me l'a ouvert et s'est mis à jouer pour moi seule. Il a joué du Tchaïkovski, c'est maman qui me l'a raconté, plus tard ; elle m'a dit que c'était l'andante du Concerto en *ré* majeur pour violon et orchestre. C'est devenu mon air préféré. Il me le jouait à chacun de ses retours. J'aimais aussi quand il se mettait à improviser des airs tziganes. À un moment donné, il posait le pied sur une chaise et lançait : « Pour ta maman ! », et il jouait le motif du *Lac des cygnes*, parce qu'elle aimait par-dessus tout ce ballet et l'histoire de Pouchkine. Moi, je m'envolais en m'endormant. Il disait toujours que la musique, il fallait y nager comme fait un cygne, avec force et orgueil, mais aussi avec une certaine nonchalance. Ma mère le réprimandait : « Ne donne pas de mauvais conseils à ta fille ! »

Clara avait hésité, puis, en étreignant un peu plus son violon, elle avait articulé les prénom et nom de son père, Piotr Lermantes, comme les prononçait sans doute Louise. Elle avait enfin questionné de nouveau :

– Vous croyez qu'il recevra un jour nos messages ?

Nathanaël, Berthe et Ferdinand étaient restés tous trois sans rien répondre. Depuis l'enterrement, la petite n'avait pour ainsi dire plus prononcé un mot sur Louise, et Nathanaël avait redouté plus que tout ce déménagement. À l'occasion de la lecture du testament en présence de Clara, il avait eu connaissance du nom et d'une adresse provisoire du père tels que les avait déposés Louise. Elle précisait que c'était elle qui avait toujours refusé que Piotr reconnût officiellement l'enfant, alors même qu'il était prêt à le faire, afin de le laisser libre de parcourir le monde à son gré. Elle restait seule responsable de sa fille. Elle avait ajouté dans ces lignes que le notaire lisait avec componction :

« Ma Clara, tu apprendras plus tard que, bien souvent, l'administration, les formalités, les papiers font mauvais commerce avec l'amour. Ton père n'en est pas moins le seul homme que j'aie aimé. »

Malgré les télégrammes et lettres qu'ils avaient envoyés lors du décès de Louise, Piotr Lermantes était resté à ce jour introuvable et muet, mais, quand il avait fallu organiser le déménagement, Clara n'avait pas quitté des yeux son violon, ses affaires de danse, un Christ sculpté appartenant à sa mère, et elle avait ajouté avant qu'ils ne remplissent et n'emportent les cartons :

– Et puis, il y a mes lapins.

– Quels lapins ? avait glapi Berthe.

– Mes lapins nains ! Ils sont dans leur cage, en pension chez la gardienne. Je les lui ai confiés avant de partir pour Biarritz.

Il lui fallait finir le travail commencé. Tel un

vieux chien efflanqué aplati contre le sol, la serpillière semblait le narguer. Une dernière fois, Nathanaël redescendit jusqu'à la cuisine. Il était hébété de fatigue. De quel matériau les hommes étaient-ils constitués autrefois ? songea-t-il. Il repensa à Tolstoï couvrant des kilomètres à cheval tous les jours, chassant, confectionnant lui-même ses bottes tout en écrivant *Guerre et Paix*, *Anna Karénine*. Et Victor Hugo partant en exil, se baignant à Jersey dans la mer glacée, escaladant des montagnes, prenant ici ou là des maîtresses, intervenant en politique, bravant « Napoléon le Petit » et les polices, rédigeant mille vers ou mille pages en un rien de temps... Et lui n'avait pas écrit quatre lignes qu'il se trouvait au bord de l'agonie ! Il alluma machinalement la vieille radio de Berthe. La musique se lova aussitôt autour de son corps. Le troublant adagio de la Quatrième de Mahler. Dans la cuisine, Nijinski se calma aussitôt et, se dressant sur ses pattes arrière, passa son museau à travers les barreaux. Nathanaël s'accroupit près de lui et, caressant la petite tête, murmura :

– À toi aussi, elle manque, n'est-ce pas ?

Louis XIV surveillait la scène avec dignité. Nathanaël se laissa glisser sur le carrelage frais. Il faisait si chaud qu'il ôta sa chemise trempée. Cette musique le subjuguait. Aucun amour n'exercerait jamais un effet comparable sur lui. Elle le possédait tout entier. Il ferma les yeux.

Clara aurait pu danser cet adagio. Il l'imaginait, dressée sur ses pointes, arrivant de très loin vers lui, tournant, l'encerclant peu à peu.

Il la voyait parée d'un lourd collier de chien ciselé tel qu'en a peint Cranach. Une lourde chaîne courait au-dessous du collier. Il s'aperçut qu'il ne s'était jamais demandé pourquoi le vieux peintre avait équipé toutes ces jeunes filles de si lourdes parures : Vénus, Lucrèce, Salomé, et jusqu'aux trois Grâces représentées par lui. Il posa sa main sur son propre cou. Il songea à Lucas peignant aussi l'encolure des hommes décapités. Avaient-elles, avant de la leur découper, posé leur main fraîche sur eux ? Est-ce que seule l'épée glacée avait pu apaiser le cœur luthérien de Cranach ?

Clara ! Pour la première fois, il comprenait ce qu'avait voulu dire Louise, le dernier soir :

– Un enfant est la seule personne pour qui je donnerais ma vie sans l'ombre d'une hésitation. Je n'aurais même pas peur.

Oui, Clara était devenue son propre enfant.

La musique menaçante se rapprochait de lui. Le visage hautain de Clara se penchait à présent vers lui. Avec quelle joie il accepterait le coup mortel ! Elle posait son pied sur sa poitrine, le chausson dur le maintenait au sol tandis qu'elle dissimulait quelque objet ou arme derrière son dos...

– Mesdames, messieurs, débita le speaker d'une voix trop haut perchée, j'espère que vous avez pu reconnaître cet extrait et répondre à la question : « Qui Alma Mahler a-t-elle épousé en troisièmes noces ? » Je vous rappelle que pour concourir, vous devez envoyer votre réponse sous enveloppe timbrée à Radio...

Il se leva d'un bond, ferma le poste avec rage tandis que les lapins, de saisissement, sautillaient en tous sens.

– Décidément, cette société est devenue détestable ! maugréa-t-il. Quant à vous, horribles créatures, taisez-vous ! Pour vous, il est l'heure de dormir ; pour moi, celle de sortir.

Il devenait idiot ! Voici qu'il parlait aux lapins comme un vieux retraité qui radote. Il allait prendre une douche glacée, puis respirer l'air du soir. Cela le calmerait peut-être.

Il ignorait encore que la vieille dame l'attendait au Café Marly.

CHAPITRE 9

L'azur

Enfin il allait se retrouver en solitaire au Café Marly. Il lui semblait qu'un siècle s'était écoulé depuis ce fameux samedi où il avait fait connaissance avec la Danse en franchissant le seuil du studio de mademoiselle Serane.

Il découvrit avec horreur que la terrasse était surpeuplée de touristes. De femmes trop opulentes, trop dénudées aussi – il pensa à Molière : « Couvrez ce sein que je ne saurais voir.... », mais le pauvre Tartuffe aurait eu plus vite fait de couvrir son propre visage ! Il évoqua aussitôt la minceur de Clara, sa mise soignée, son dos bien droit surmonté de sa nuque altière. La pensée l'effleura que la fillette ressemblait par moments à un cobra dressé. En ces lieux, il ne voyait plus que des masses de chair qui paraissaient se distendre et se déformer à la lueur des bougies. La tête lui tourna et il se dit qu'il lui fallait absolument se laisser choir quelque part. Mais où se reposer dans cette cohue ? Il hésita. Peut-être valait-il mieux repartir ? Déjà des femmes et des hommes le dévisageaient, comme toujours. Mannequin ? Acteur ? Parfois il se demandait si ce n'était pas sa peau sombre qui intriguait tous ces gens pâlots. Il se dit que, chez lui, il n'éprouvait plus guère de tranquillité et que cela faisait trop longtemps qu'il ne dérangeait plus ses amis en débarquant chez eux à l'improviste. Errer dans les rues au hasard ? Non, décidément, il se sentait trop fatigué. Il voulait s'asseoir, avaler quelque chose de frais. C'est alors qu'il l'aperçut.

La petite dame le surveillait de ses yeux pleins de nuit mais où brillait une flamme bizarre. Lorsqu'il croisa son regard, elle lui fit un signe impérieux de sa canne pour l'inviter à sa table. Un tabouret était libre en face d'elle.

« Après tout, se dit-il, au point où j'en suis... Celle-là, au moins, je ne risque pas d'être contraint de l'adopter ! »

– Asseyez-vous, jeune homme ! À votre âge, on peut se contenter de ce genre de siège. Il est vrai que, de nos jours...

Il s'inclina pour la saluer. Pour lui qui venait chercher un peu de calme, le dialogue n'allait pas être de tout repos !

– Laissez-moi vous inviter, poursuivit-elle. C'est un des privilèges de l'âge !

Sa voix faisait rouler drôlement les consonnes. Italienne ? Russe ? Un curieux mélange, très chantant, mais avec beaucoup d'assurance dans le ton.

Elle leva de nouveau sa canne dans le même geste impérial pour héler un serveur. Par sa façon de tenir son cou, de lancer ses mouvements, elle faisait penser à Clara.

– Qu'est-ce que vous prenez ? Un *old-fashioned*, comme l'autre fois ?

– Oui, c'est cela. Merci, merci beaucoup.

Il était fou. Il avait chaud, n'avait aucune envie d'alcool, mais ne savait que dire oui aux caprices d'une vieille dame tyrannique, lui qui, avant de rencontrer Clara, refusait la moindre ingérence dans sa vie. Peut-être avait-il suffi qu'il acceptât une fois ce coup de téléphone de madame Talleyrine pour basculer dans un asservissement total ?

– Alors, mon prince ?... Je vous appelle toujours « mon prince » car, à chaque fois que je vous croise, vous êtes impeccablement habillé, même ce soir où chacun se promène à moitié nu.

Pour fuir le désordre de sa maison, il est vrai qu'après sa douche il s'était particulièrement soigné et avait endossé son meilleur costume, peut-être pour parvenir à mettre un peu d'ordre dans ses pensées.

– Que faites-vous, si beau, si seul, si tourmenté ?

Que répondre ? Qu'il avait quêté un jour la Beauté, qu'il attendait une affectation dans l'administration sans trop s'en soucier, et que des lapins nains d'appartement lui cherchaient querelle ! Il dit sans réfléchir :

– Je m'occupe de danse. Et vous, depuis notre dernière rencontre aux concours ?

– Tiens ! J'aurais parié que vous étiez écrivain.

Le bonheur le submergea. Ainsi, cela se voyait ? Enfin, quelqu'un l'avait reconnu, même s'il n'écrivait encore rien d'important ? Cela transparaissait ? Dans son regard, sans doute...

– Vous avez l'index taché d'encre, alors qu'aujourd'hui, même les clercs de notaire travaillent sur ordinateur !... À moins que vous n'ayez trempé vos doigts exprès dans l'encrier, car, en réalité, vous en avez partout ?!

Il aurait dû prendre le temps de mieux se poncer la peau ! Bah, au point où il en était... Et puis, il n'avait pas vraiment eu envie de faire disparaître toute l'encre avant de sortir. Ses traces lui rappelaient l'école, sa petite enfance...

– Ainsi, vous vous intéressez à la danse ? reprit la vieille dame en l'examinant longuement. Comment cela ? Vous n'êtes pas danseur. Je le vois à votre dos : ou bien le bâtiment est droit, ou bien il penche, dit-elle en décrivant un mouvement avec sa canne pour appuyer sa démonstration. C'est sans appel !

– Ainsi donc, je penche ? répliqua-t-il avec une ombre d'ironie, car, en définitive, cette vieille personne, avec ses questions, commençait à le faire émerger de sa fatigue. J'espère que c'est du bon côté, ajouta-t-il avec son sourire le plus enjôleur, comme s'il espérait ainsi se concilier d'avance la réponse.

– J'ai horreur des *bons côtés*, je préfère vous le dire tout de suite ! Dans ce genre de vie, il n'y a que deux issues : arriver à faire l'exercice ou ne point y arriver. Au-dessus de la barre, le génie peut commencer ; au-dessous, c'est la vieillesse prématurée, avec toute sa cohorte de bons sentiments : pitié, assistance, solidarité... La barre, c'est : « À la barre, ni plus ni moins ! » Et qu'est-ce qui donne du piment à la vie : le dessus, non ?

– Et qu'est-ce qu'il y a pour vous au-dessus de la barre ? questionna Nathanaël.

– Pouvoir encore discuter avec vous par un beau soir d'été, mon garçon.

À l'évidence, elle se payait sa tête, mais sa façon

de le houspiller le ragaillardissait. Il rit de bon cœur :

– Vous me flattez !

– Et pour vous, le dessus de la barre ?...

Peut-être parce qu'il avait déjà trempé ses lèvres dans l'alcool fort, ou parce qu'il était au-delà de la fatigue de ces dernières semaines, il répondit posément en contemplant les façades illuminées du Louvre :

– Écrire comme Tolstoï et danser comme Clara !

Le vacarme des gens braillards autour de lui s'estompait, se ramassant puis s'étirant en un seul son semblable à un ressac.

Pourquoi s'était-il laissé faire ? Pourquoi avoir accepté d'élever Clara ? Jamais il n'aurait la force de faire face...

Il scrutait la façade aux fenêtres mortes.

– Clara ne danse pas encore...

La voix claire de la vieille dame le ramena à la réalité.

– Comment le savez-vous ? s'écria-t-il, presque en colère.

– Ne vous fâchez pas ! Clara sera peut-être une danseuse. Pour le moment, elle apprend, c'est tout. C'est très long, de faire une danseuse, murmura rêveusement la vieille dame. Très court, aussi... Lorsqu'un danseur, vers les trente ans, quelquefois même vers les trente-cinq, commence à comprendre réellement le secret de son art, le corps, pour sa part, commence à ne plus enregistrer les ordres...

– Comment savez-vous cela ? répéta-t-il d'un ton plus inquiet.

– Je le sais, lâcha-t-elle, toujours perdue dans son rêve.

Elle s'était tue. Elle ajouta encore pour elle-même, avec un fort accent, comme si elle récitait quelque poème :

Le brouillard recouvre déjà le paysage.
Mais ma main tremblante saisit en vain la barre...

Puis elle reprit d'une voix chantante :

– C'est étrange : plus on voit clair à l'intérieur, moins les yeux parviennent à discerner la réalité alentour. Vous ne trouvez pas ? C'est comme si on s'éloignait peu à peu de soi-même. D'un côté, l'enveloppe du corps ; de l'autre, l'esprit enfermé à l'intérieur et qui observe. Il paraît d'ailleurs qu'à la mort, l'espace de quelques instants, on se quitte soi-même. Mais ne vous inquiétez pas, parfois je divague... Alors je me gronde : « Tatiana, arrête un peu ! » Mais j'ai encore tant et tant de choses à me raconter...

Nathanaël observait depuis un moment le pommeau ciselé de sa canne qui représentait un cygne en argent tenant dans son bec un anneau d'or.

– Vous examinez ma canne ? C'est un prince comme vous qui me l'a offerte. Il m'a demandée en mariage, mais, comme le cygne, il s'est envolé, un beau jour, en emportant l'anneau. Il m'est néanmoins resté sa canne, très utile, ma foi, pour mes vieux jours. Quand je la regarde, je me dis que je suis une éternelle fiancée, et cela me rajeunit. Sans compter qu'on ne peut guère s'appuyer sur un anneau pour marcher...

L'alcool commençait à faire son effet sur Nathanaël, dissipant sa fatigue. Finalement, la vieille dame le distrayait tout en le protégeant en quelque sorte des regards indiscrets. Il était heureux de ne pas se retrouver seul à cette terrasse.

Peut-être est-ce là le secret d'un vrai couple ? pensa-t-il en respirant le léger arôme de violette de Tatiana qu'un mince déplacement d'air venait de lui faire glisser sous les narines.

Pour la première fois depuis longtemps, il n'avait pas à se mettre en frais, il était détendu avec elle. Ensemble, ils avaient le temps de converser, d'observer les autres, de se confier leurs réflexions sans chercher à paraître. Oui, ils avaient tout leur temps. Il allongea ses jambes sous la table. Il se sentait bien dans la compagnie d'une femme âgée.

– Vous avez besoin de respirer, jeune homme ! Lorsque vous êtes apparu, vous ressembliez à quelqu'un qui va perpétrer un meurtre ou qui vient d'en commettre un.

– Ce n'étaient que des lapins, confia Nathanaël en souriant. Pour cette fois, je les ai épargnés. Pardonnez-moi, je ne me suis pas présenté : Nathanaël Vosdey.

– Ainsi, vous n'êtes pas écrivain ?

– Non ! Enfin, si ! C'est très compliqué...

– Rien n'est compliqué, mon prince. Du moins quand cela dépend de l'esprit. Il n'y a que le corps pour n'être guère accommodant, mais il est vrai qu'on le traite toujours mal, le pauvre ! On le force à obéir tout au long de sa vie, mais il est bien plus malin qu'on ne croit. « *J'ai eu un amant qui était mon corps et voici qu'il me quitte...* » Ce n'est malheureusement pas de moi, mais d'une grande artiste. Vous devriez offrir son livre à Clara...

– Comment savez-vous que je m'intéresse à Clara ?

– Je sais tout de vous, mon prince ! Je vous connais depuis toujours...

Face à la stupeur de Nathanaël, Tatiana se pencha et, plantant ses yeux dans les siens, lui chuchota :

– L'amour, tout simplement. À la seconde où je vous ai vu, j'ai tout su ! Puis, se redressant, elle ajouta avec un brin de tristesse : J'exagère un peu ! En fait, je ne suis pas magicienne, mais je vous ai observé, le jour du concours, avec Clara et sa mère sans doute, quoiqu'elles ne se ressemblent pas vraiment. Méfiez-vous quand même : je suis jalouse. C'est d'ailleurs la seule façon d'aimer. Pourquoi laisser à d'autres ce à quoi on tient le plus ?

– Vous me connaissez à peine, plaisanta Nathanaël, heureux de marivauder.

– Cela ne sert à rien de bien placer son amour. Il n'y a pas de dividendes, vous savez ! Je vous garde férocement, puisque vous êtes devenu mon unique trésor...

Nathanaël rit de bon cœur. Il avait l'étrange sensation que plus la vieille dame lui mettait le grappin dessus, plus elle le rendait libre, comme si, grâce à elle, il se défaisait de toute peur, de toute hésitation.

Une infime brise courut le long des tables. Il regarda Tatiana avec tendresse tout en pensant à Clara : grâce à elles deux, il comprenait enfin la parabole des ouvriers de la dernière heure qui, enfant, l'avait toujours choqué.

– Ah, vous voilà déjà parti en baguenaude ! lui reprocha la vieille dame tout en commandant un autre cappuccino.

– Pardonnez ma distraction. Je pensais à une parabole que je viens tout à coup de comprendre. Vous savez : un maître cherche des ouvriers pour sa vigne. Il les embauche le matin pour la journée en échange d'un denier. Dans l'après-midi, il en embauche d'autres encore, pour le même salaire. Il fait de même vers la sixième, la neuvième et la onzième heure, puis pour la dernière heure. Il convoque enfin son contremaître et le charge de régler un denier à chacun. Ceux qui travaillent depuis le matin protestent : « Nous avons porté le fardeau de toute la journée avec sa chaleur... » Mais le maître répond : « Faut-il que tu sois jaloux parce que je suis bon ? Je ne te lèse en rien ; n'est-ce pas d'un denier que nous sommes convenus ce matin ?... » Jusqu'à ce soir, j'étais comme le premier ouvrier, je trouvais le maître injuste, mais, grâce à vous, je viens de comprendre. Quand je tombe soudain amoureux, la personne pour qui j'éprouve une passion d'une seconde compte pour moi autant que celle que je connais depuis des années, et, si je viens à la perdre, cela me paraît aussi intolérable que l'éloignement de celle que j'aimais depuis cinq ou dix ans...

– Ma déclaration d'amour vous aura donc rendu plus perspicace ? questionna Tatiana d'une voix espiègle.

– Lorsque vous avez dit que l'amour est impossible à rentabiliser, j'ai tout à coup repensé à cette parabole, répondit Nathanaël.

Mais il ne lui avoua pas que la pensée de Clara avait beaucoup aidé à cette découverte. Elle lui manquait soudain et cette impression d'absence faisait comme un grand trou d'air en avion. Il finit son whisky :

– Finalement, je boirais volontiers un cappuccino, comme vous. Vous semblez y prendre un tel plaisir que vous donnez envie d'y goûter.

Tatiana fit un signe impérieux de sa canne et le serveur accourut aussitôt.

– Ainsi donc, vous voulez écrire, reprit-elle au bout d'un bref silence.

– Je suis un privilégié. Je peux à peu près vivre comme je l'entends. Mais il n'a pas été si facile d'échapper à la ronde des affaires, d'autant plus que j'étais déjà remarqué par ce que les grandes firmes appellent des « chasseurs de têtes » !

– Un monde pire que la jungle ! renchérit Tatiana avec sarcasme.

– Ces chasseurs recherchent et signalent des jeunes gens et des jeunes femmes ultraqualifiés, doués pour occuper tel ou tel poste de haut niveau dans le monde des affaires. C'est très *ciblé*, comme on dit aujourd'hui.

– Et vous, ce n'est pas le genre de mots que vous employez : ciblé, prospective, interactif... Vous préférez l'âme, le destin, les dieux d'Eschyle ! J'ai bien remarqué ce que vous lisiez...

– Au début, mes amis pensaient que je visais encore plus haut, comme avec un fusil. Vous voyez : nous ne savons plus utiliser que des termes de guerre... Ils m'admiraient, mais, lorsqu'ils m'ont vu me rendre tous les jours au Louvre pour regarder simplement telle ou telle toile, ils se sont tous détournés de moi comme si j'avais été atteint d'une maladie honteuse. C'est tout juste si certains ne m'ont pas dénoncé ! Alors que tant de gens cherchent du travail, je passais mon temps à lire, à contempler, à ne rien faire, disaient-ils. Le pire fut lorsqu'une jeune fille pour qui j'avais un certain faible m'offrit une reproduction d'un tableau du Louvre ; la pauvre croyait bien faire, et moi j'ai eu envie de pleurer. Elle ne comprenait pas que je cherchais la Beauté, non l'objet reproduit en série et vendu en grande surface. Je ne voulais ni acheter ni posséder, je voulais comprendre, m'approprier le mystère.

– Quel mystère ?

– La transparence d'un Monet, le cri jaune d'un Van Gogh, la main brûlante d'un Racine...

– Vous devriez entrer au monastère !

– Je ne crois pas en Dieu. Du moins pas pour le moment. C'est vous autres qui souffrez d'un mal incurable ! Chacun de vous est devenu incapable de suspendre sa course vers des carrières aussi friables que la poussière de vos os !

Tout à fait réveillé, Nathanaël s'exaltait à présent.

– Pour ce qui est de ma carrière, mon prince, elle est faite ! Quant à mes os, ils sont encore tout ce qu'il y a de solides.

– Pardonnez-moi, je ne voulais pas parler de vous en particulier ! Je voulais dire que, pour être religieux, il faut aussi un brin de génie. Pourtant, j'ai acquis cette faculté de percevoir le monde au cœur de ma solitude, mais au grand jamais je ne pourrais prier pour les autres hommes. Au fond, je n'ai aucune envie de les sauver. Terrifié, je les regarde marcher à reculons, l'échine basse, vers les cavernes de la préhistoire.

Tatiana éclata d'un rire cristallin. On aurait dit une vocalise tout juste murmurée.

– Vous commettez les péchés capitaux d'orgueil et de paresse. Et l'espérance, vous en faites quoi ?

Il s'énervait, maintenant :

– Vous parlez comme ma grand-mère !

Il ne remarqua pas la grimace de Tatiana.

– « Quel malheur, ressasse-t-elle. Toi qui as tous les dons, tu n'en fais rien. » Tous les dons et pas de génie, Grany, voilà la vérité, je lui rétorque. Elle me réplique : « Écoute, mon petit, tout le monde ne peut pas être Mozart, sinon qui écouterait sa musique ? »

– Ce n'est pas si bête, après tout.

– Je joue du piano, je parle anglais, je dessine, mais rien de cela n'est divin.

– Vous savez, lui répondit alors Tatiana, je n'ai nul besoin de « cela » pour accepter votre demande.

– Quelle demande ? interrogea Nathanaël qui n'avait rien sollicité.

– Votre demande en mariage ! s'exclama Tatiana en se penchant à nouveau jusqu'à effleurer son visage.

Il se détendit à nouveau. L'extravagance de son amie était décidément réconfortante.

– Il me manque cette chose essentielle : écrire, reprit-il. Évidemment, je sais rédiger une thèse, remercier par une lettre courtoise, mais j'aurais voulu posséder les mots à la manière dont Mozart égrène les notes. Peut-être est-ce comme l'amour, murmura-t-il à son tour en se penchant vers la vieille dame : on le possède ou pas. Ainsi, je ne saurais écrire une lettre d'amour. Dire l'amour aussi simplement que : « *J'aimais, Seigneur, j'aimais, je voulais être aimée...* » Ah, mon royaume pour un vers de Racine !

– Je vais vous poser une question, jeune homme, mais attendez : au préalable, je vais réclamer deux *old-fashioned.* À mon tour de vous imiter ! Ça me rappellera ma jeunesse.

Elle fit signe et passa sa nouvelle commande. Le serveur décocha un drôle de regard à Nathanaël qui s'en amusa et lui lança :

– Ne vous inquiétez pas, nous reviendrons ensuite aux cappuccinos...

Tous deux se sentaient à présent complices. Spontanément, elle lui tendit la main qu'il baisa à la naissance du poignet.

– Vous ne savez pas dire l'amour, mon prince, mais vous savez embrasser. Le corps aussi a une forme d'intelligence. Rappelez-vous cette leçon des jésuites : mettez-vous d'abord à genoux, la foi viendra toute seule. Vous verrez : tout à l'heure, vous me demanderez ma main !

– Vous vouliez me poser une question sur la danse...

– Oui : avez-vous déjà assisté à un ballet ? Un vrai ballet classique : *Giselle, Le Lac des cygnes, Don Quichotte* ?...

– Oui.

– Avec de grands danseurs ?

– Oui.

Il se revit au côté de Clara, quelques jours après

l'enterrement de Louise. Il ne voulait pas y aller, mais Louise avait retenu les places plus d'un mois auparavant. De très bonnes places, très chères : près de quatre cents francs chacune. Il avait deviné que ce devait être, pour Clara et sa mère, leur grande sortie de l'année. Les billets trônaient sur la table de chevet de Louise lorsque Clara avait pénétré dans la chambre, à leur retour de Biarritz. Elle avait contemplé la pièce comme si une tempête ou la visite de cambrioleurs l'avaient ravagée, puis, marchant comme une somnambule, elle s'était dirigée vers le lit. Nathanaël aurait voulu la laisser là, mais elle avait vacillé, puis saisi la longue enveloppe marquée « *Opéra de Paris* », avant de s'effondrer sur l'oreiller de sa mère en sanglotant. Il n'avait su que lui dire. Fallait-il appeler Berthe au secours ? Mais, au bout d'un très long moment, la petite lui avait tendu l'enveloppe et avait décrété d'une voix presque apaisée, comme si c'était à elle qu'il revenait de le conseiller :

– Il faut y aller, Nathanaël. Autrement, maman ne serait pas contente. Nous en rêvions tellement !

Ainsi, pour la première fois, il avait assisté au *Lac des cygnes*, assis au premier rang à côté d'une petite fille trop droite, trop sage, trop blanche, qui n'avait pas bougé d'un centimètre ni pendant le ballet ni pendant les entractes. Elle était avec et parmi les cygnes, et Nathanaël avait eu la certitude, ce soir-là, qu'elle était venue pour le délivrer, comme Tchaïkovski lui-même. Le Cygne devenait Clara, mais tout autant lui, le Poète, le Prince de féerie, le Chevalier. À travers cet animal mythique et ambigu, il se confondait avec Clara. Cet oiseau, cette danseuse qui ne touchait plus terre, c'était cela qu'il voulait devenir. Lui aussi finirait par s'émanciper de cette pesanteur humaine. Il se débattait depuis si longtemps ! Lorsque le finale tragique s'éleva aux cordes de l'orchestre, il eut l'impression que son corps entier se fracassait pour mieux la laisser s'envoler, elle, le Cygne, sa vivante espérance. L'eau gagnait la scène, mêlée au brouillard agité par Rothbart, le Malin, qui recouvrait le monde de ses ailes noires, noyant et le Cygne et le Prince, mais Nathanaël sentit au même instant que les ailes immaculées venaient de sauver en lui quelque chose d'essentiel.

La nuit suivante, sur un grand cahier, il avait commencé à jeter des notes d'une écriture fébrile. Il avait eu raison de fuir les hauts postes qui l'auraient rendu semblable à Rothbart : celui qui fait métier d'abuser les êtres...

– Quel ballet avez-vous vu ?

La voix de la vieille dame le ramena à la réalité. Mais quelle était pour lui la réalité ? Celle-ci ou celle des Cygnes imaginaires ?

– J'ai assisté dernièrement au *Lac des cygnes*.

– Comme tout un chacun, vous en avez été ému. Mais, derrière cette émotion, il n'y a que du travail : des heures de travail. C'est cela, le génie : le travail du corps. S'atteler au travail au-delà du raisonnable, jusqu'à forcer l'esprit, contre ses propres limites, à s'incarner. C'est le corps des danseurs qui sculpte la beauté du geste. Les autres, eux, ne feront que rêver qu'ils dansent. Comme tous ces écrivains qui miment l'écriture mais n'écrivent pas... Quoi qu'il en soit, le plus dur est de mettre son propre corps à genoux, rappelez-vous cela. Contrairement à ce qui se dit, l'esprit est prêt à toutes les bassesses. Il suffit d'écouter les informations. Le corps, lui, est plus rebelle, je dirais presque : plus révolutionnaire. Le corps ! Tenez, mon prince : je bois à ma santé !

Tatiana attrapa le verre que le serveur venait de déposer devant elle et invita Nathanaël à trinquer.

La tablée d'à côté les lorgnait presque avec méchanceté. Comment un jeune homme si bien de sa personne pouvait-il se contenter de la compagnie de cette vieille dame pas même fardée ni arrangée, car elle ne semblait pas être sa mère ! Nathanaël capta à une autre table le regard ironique d'un homme dans la cinquantaine, déjà chauve, blotti contre sa petite amie qui ne devait pas avoir vingt ans. Se penchant vers Tatiana, il lui prit avec douceur la main gauche et, déposant un baiser sur son annulaire :

– Je vous offrirai une bague, lui dit-il à voix forte, afin que leurs voisins entendissent. Pour mieux vous enlever.

Elle eut un rire bref qui lui rappela aussitôt le bref sanglot de Clara, mais il dut lutter pour empêcher l'image de la fillette de s'estomper. L'aurait-il déjà trahie, comme le Prince du Lac, pour s'être trop distrait durant cette soirée d'été ? Deux vers tournoyaient dans sa tête :

Où fuir dans la révolte inutile et perverse ?
Je suis hanté. L'Azur ! L'Azur ! L'Azur !
L'Azur !...

La fin du poème de Mallarmé chantait à tue-tête, effaçant tous les autres bruits autour de lui. Il leva à nouveau les yeux vers les fenêtres obscures du Louvre tout en songeant au cri du Prince des poètes : « *Sans les tribunaux, je mettrais le feu aux ignobles maisons que je vois chaque jour bêtes et niaises...* » Clara lui manquait à présent avec violence : des rafales brutales le secouaient comme un orage déferlant à l'intérieur de son corps. Il n'en pouvait plus de ne pas la voir, de simplement ne plus voir ses yeux, sa petite silhouette. Oui, elle allait sûrement surgir là-bas, au bout de la terrasse.

Comment avait-il osé la confier à madame Talleyrine pour ce stage ? Il ne pourrait jamais attendre. Cette nuit même, il allait partir en voiture les rejoindre. C'était son enfant à lui – sa beauté. La seule pensée de Clara se révélait impuissante à le réconforter : ce qu'il voulait sur-le-champ, c'était la voir arriver, revoir Clara avec les yeux de son corps.

Que fait-elle en ce moment ? Est-ce qu'elle dort déjà ? Je suis sûr, se dit-il, qu'il est en train de lui arriver quelque chose de fâcheux. Il n'y a que moi pour savoir ce qu'il faut faire. Et si j'appelais ? Il s'affolait, paniquait. Plus jamais il ne la laisserait s'éloigner de lui. Cela n'avait plus rien à voir avec l'amour des adultes. Il comprit alors ce qu'avait voulu dire Louise, le dernier soir : « Pour un enfant, on donnerait sa vie sans même réfléchir. »

– Tatiana, demanda-t-il en se tournant avec excitation vers sa voisine. Quel est le nom de l'artiste dont vous me parliez tout à l'heure ? Je vais l'offrir à Clara...

– Yvette Chauviré. Mais Clara la connaît sûrement.

Il offrirait ce livre à Clara, et le monde entier si

elle lui en faisait la demande. Demain, à l'aube, il retrouverait l'azur de son regard d'enfant.

Avant de quitter Tatiana, il lui demanda encore comment la joindre. Elle répondit avec un sourire moqueur :

– Écrivez-moi, mon prince !

– Mais à quelle adresse ?

– Ici même ! À Tatiana, Café Marly. Voyez, c'est tout simple... Encore faut-il écrire ! Sans traces, l'amour, comme le reste, n'est qu'un rêve...

CHAPITRE 10

Les chaussons sous la pluie

Clara mange les yeux baissés. Une heure avant son concours, voici qu'elle s'empiffre. Elle a grossi. Il la déteste. Il a honte. Qu'est-ce qu'il a fait de sa propre vie depuis plus de deux ans ?

Tout a commencé sournoisement. À son retour de stage, Clara s'est installée chez lui. Menton rentré, yeux baissés, elle ne disait pas grand-chose. Il l'a emmenée aux ballets, au théâtre, au restaurant. Il l'a conduite au lycée tous les matins. Mais, peu à peu, elle lui a glissé d'entre les mains. Un jour, elle lui a demandé de garer la voiture assez loin de la porte du lycée. Tous les après-midi, elle a continué de se rendre au Conservatoire, mais, petit à petit, elle s'est alourdie. Il ne l'a plus entendue rire ni pleurer. On l'aurait dite assoupie.

Il a eu peur, car il devinait son intelligence intacte, sa violence intérieure tapie, toujours sur le point d'exploser. Parfois, lorsqu'il la croisait dans un couloir de la maison, elle lui jetait un regard à la fois méchant et désespéré, comme pour l'accuser de quelque crime monstrueux.

En sus du Conservatoire, elle suivait toujours des cours particuliers chez le professeur qui l'avait fait débuter bien avant mademoiselle Serane. Elle y allait le mardi, tard le soir, accompagnée par Berthe qui se plaignait chaque fois de la longueur du trajet. Il avait dû finir par lui payer un taxi.

Depuis quelque temps, il a repris contact avec le monde des affaires. Il doit se remettre à travailler. Il est resté en congé assez longtemps. À cause de Clara, il a désormais envie d'échapper à cette maison hostile où l'adolescente passe des heures à regarder la télévision et n'ouvre la bouche que pour manger.

Assis devant elle au McDonald's, il sent que quelque chose d'horrible menace de se produire. Il est furieux d'avoir été obligé de l'accompagner à ce concours de danse en province, mais le professeur n'a pas pu venir et, comme celle-ci l'a souligné non sans acrimonie au téléphone : « Il revient aussi aux parents de s'occuper de leur enfant... » Déjà, lui-même n'assistait jamais au cours ; la mère de Clara, elle, y venait presque à chaque fois...

Il a répondu désagréablement mais, devant l'affolement de Clara, il s'est empressé de donner son accord pour passer à deux, puis à trois leçons particulières durant la dernière semaine précédant le fameux concours. Jamais il n'a dépensé autant d'argent. Les leçons reviennent à cinq cents francs l'heure, payables chaque fois en liquide ; les paires de pointes, à plus de deux cents francs chacune, et Clara les achète maintenant par dizaines !

Curieusement, malgré sa prise de poids, elle travaille beaucoup et accomplit des progrès sur le plan technique. Berthe lui parle de pirouettes à trois tours, de grands jetés, de fouettés.

Un jour que, timidement, il l'a interrogée sur l'abondance de ses chaussons, elle lui a lancé :

– Et ce n'est qu'un début ! Une danseuse en change tout le temps, y compris pendant un ballet. Dans sa loge, elle a des dizaines de chaussons différents par leur résistance, leur degré d'usure...

Il s'est demandé comment faisaient les familles démunies et dont les enfants ne fréquentaient pas l'École de l'Opéra. Il a posé la question à Clara qui lui a répondu avec violence, comme à son habitude :

– Même si vous n'aviez pas été là, j'aurais continué. Maman, elle, se débrouillait toujours.

Mais la liste des frais s'allonge : la laque pour les chignons, les filets, les pinces, les élastiques de cheveux, les rubans et élastiques blancs plus sophistiqués pour les chaussons, le coton pour protéger la pointe abîmée que Clara veille elle-même à broder. Car personne d'autre ne s'occupe de ses affaires. Elle seule coud les rubans, vernit le soir les paires qu'elle pose ensuite à l'envers sur le carrelage tiède pour que l'apprêt sèche. Un jour, Berthe a même retrouvé cinq paires dans le réfrigérateur ; Clara les y avait mises pour les durcir !

– Vous verrez, Monsieur Nathanaël, un jour vous mangerez des lacets à la place de spaghettis, comme Charlie Chaplin ! C'est pire que la ruée vers l'or, votre danse !

Mais comme elle était lointaine, cette soirée où il avait raconté le colonel Suter à Viviane... Celle-ci était repartie en Amérique avec sa mère. Quant à la vieille dame, il ne lui avait jamais écrit, comme elle le lui avait demandé, et l'avait perdue de vue. Il n'était plus retourné au Café Marly. Il n'a guère le temps. Sa grand-mère est devenue invalide. Berthe et Ferdinand vieillissent. Il a même pris une infirmière pour la journée. Seuls les lapins, à l'instar de Clara, profitent !

Quant à lui, il approche des trente-quatre ans ; il a maigri. Lorsqu'il s'aperçoit dans un miroir sous la lumière crue du McDonald's, il se trouve vieux. Il déteste à nouveau l'adolescente revêche avec qui il est attablé. Il ressemble maintenant aux autres, à ce que Mallarmé appelait le « bétail heureux des hommes ».

Comment trouverait-il le temps d'écrire ? Même l'azur dans les yeux de son enfant a terni. Une musique sirupeuse, aussi écœurante que le gâteau qu'engloutit Clara, lui emplit les oreilles. Non, il ne va pas se résigner comme ça ! Quelque chose doit arriver !

– Je voudrais un autre gâteau, réclame Clara.

Est-ce qu'elle cherche à le provoquer comme tout à l'heure, quand elle a tenu absolument à entrer dans ce McDonald's envahi de monde ? Il cède, va lui rechercher une part. Il lui faut intervenir, car il pressent que Clara est au bord de la catastrophe, peut-être d'une forme de suicide, mais il ne sait trop comment agir. Il lui rapporte sa part de gâteau et la regarde se jeter dessus. Il est pris d'une trop grande tendresse envers elle. Elle vient de lui lancer un regard si douloureux qu'il a envie d'éclater en sanglots. Il a la vision de ces oiseaux dont le plumage jadis éblouissant est recouvert de pétrole, englué dans une poix mortelle. Le Monde est en train de lui voler cette enfant, son enfant. Comment a-t-il laissé faire cela ? C'est sa faute. S'il l'avait assez aimée, il aurait réussi à l'arracher à toute cette laideur.

À ce moment, il la voit allonger ses jambes. Ses cuisses ont forci. Elle a chaussé d'horribles souliers à semelles compensées, analogues à ceux que portent les pieds-bots. Tout autour d'eux, les filles arborent les mêmes. Il songe aux sabots du diable... Sortant des murs, la musique tressautante redouble d'ardeur. Ils vont être en retard. L'enfer a bel et bien commencé ici et maintenant.

– Il faut y aller, Clara...

Il n'ose poursuivre.

Elle se lève avec paresse.

– Prenez mon costume.

Elle a toujours refusé de le tutoyer. Il s'y est habitué, mais cet ordre intimé comme par une grosse bourgeoise lui fait mal au cœur. Il se sent sur le point de l'envoyer promener. À ce moment, la voix de Johnny Hallyday se fait entendre à la place des sirops sonores qu'ils ont endurés depuis une demi-heure. Clara tend l'oreille. Pour la première fois depuis longtemps, elle a redressé la tête. Aux aguets, Nathanaël l'entend murmurer, les lèvres serrées :

– Maman adorait cette chanson-là. Elle l'aimait beaucoup. Maman, elle, aimait tout. Elle m'aimait aussi...

Clara plonge son visage dans ses mains. Nathanaël se rassied près d'elle. Il écoute les paroles :

Je te promets une histoire différente des autres
J'ai tant besoin d'y croire encore...

Elle a des mains d'une finesse et d'une beauté à couper le souffle : toute l'élégance du monde s'est réfugiée dans ses doigts. Il voudrait se mettre à genoux devant ses paumes ouvertes : comme si elles devaient lui annoncer ou lui promettre quelque chose, lui semble-t-il. Il songe à la main de Dieu donnant la vie à Adam, qu'il a contemplée aux côtés de son père sur le plafond de la Sixtine. Les mains de Dieu ! Non, il ne se sent pas digne de cette enfant, car si elle a essayé de se faire entendre, il ne lui a apporté que des réponses matérielles : de l'argent, à manger, les cours, les fournitures. Est-ce qu'il s'est réellement intéressé à la Danse depuis la mort de Louise ? Or Clara, c'est la Danse, pas une petite fille ordinaire, même si elle s'essaie à porter des chaussures comme les filles de son âge et à manger dans les McDonald's. Johnny Hallyday conclut sa chanson :

Je te promets le ciel...

Elle se lève d'un bond.

– C'est malin ! s'exclame-t-elle brutalement. Maintenant, on va être vraiment en retard !

Ils se précipitent au-dehors. Il pleut. La rue grise glisse sous leurs pas.

Il reconnaît d'emblée l'ambiance des concours, les mères affairées, les pères désœuvrés, les petites filles trop maquillées. Clara décline son nom. Elle porte le numéro 66, ce qui lui déplaît, mais elle s'éclipse dans les coulisses sitôt qu'elle a pris son badge et remis sa cassette. Il se rend compte qu'il ne sait même pas sur quelle musique elle va danser. Il l'a abandonnée depuis si longtemps... Il aurait dû s'en soucier bien avant ce concours.

Il achète un billet pour pouvoir pénétrer dans la salle, mais comme les portes ne sont pas encore ouvertes, il va s'asseoir à la cafétéria de la Maison de la culture. Il se sent bien seul, à son tour. Il se rappelle le sourire de Louise, le cadeau de Clara à sa mère, autrefois, la voix de la vieille dame du Café Marly : « Mon prince »... Dès son retour à Paris, il essaiera de joindre Viviane et sa mère aux États-Unis. Il se renseignera sur le père de Clara, de qui ils sont toujours sans nouvelles. Quant à Tatiana, il y aura sûrement moyen de retrouver sa trace. Comme il s'est montré égoïste ! Pour la première fois, il découvre à quel point il a besoin des autres. De pouvoir parler simplement à quelqu'un. Cette fois, il remarque qu'il a même omis de prendre un livre avec lui. En cet instant, il comprend les regards errant dans le vide de certaines gens, au café, qui attendent peut-être simplement d'exister, d'avoir un corps pour les autres. Un corps... Il cherche autour de lui, mais nul ne lui prête attention. Tous ont bien autre chose à faire, d'autres personnes à aimer. En cet instant, il désirerait qu'une mère même insupportable, décolorée, obèse, bavarde, vienne s'installer à côté de lui pour parler des concours de sa fille, des problèmes de sa fille, des réussites de sa fille – mais lui parler, enfin.

Les portes de la salle viennent de s'ouvrir. Il entre discrètement et s'assied au vingtième rang, ni trop loin ni trop près, à l'instar de sa propre attitude dans la vie, sans perspective ni excès, sans grand relief. Il n'y a plus qu'à endurer la suite. Il sent que tout s'annonce plutôt mal. Les candidates se succèdent. Il finit par s'assoupir.

– Mademoiselle Danièle... Mademoiselle... Numéro 63.

Heureusement, il n'a plus trop à attendre.

– Numéro 66, mademoiselle Clara Isella...

Il reste passif. Elle apparaît. Il ne la reconnaît pas. Il ne voit d'abord qu'une horrible robe verte pailletée. Comment a-t-elle pu enfiler cela ? Le corps a perdu ses justes proportions. Il ne parvient même pas à comprendre ce qu'elle danse. Elle saute, ou plutôt tressaute, envoyant ses bras tantôt d'un côté, tantôt de l'autre, le visage morne. Cela n'en finit pas. Il a honte. Elle salue. Il respire ; la voilà sortie de scène. Il regarde à peine les autres candidates. Au numéro 74, la dernière de la série, il y a une pause. Nathanaël s'empresse de sortir. Clara vient le rejoindre, les yeux baissés. Il lui demande si elle souhaite rester à attendre à l'hôtel. D'après ce qu'ils comprennent, les résultats seront affichés vers dix-neuf heures.

Nathanaël ne dort toujours pas. Clara a été « jetée » dès le premier tour. Elle n'a même pas franchi les éliminatoires. Il rallume, se lève, met en marche la télévision de sa chambre. Il regarde d'un œil distrait un match de hockey sur glace, sans même songer à changer de chaîne. Il a coupé le son. Il songe à Clara et allume une cigarette. Depuis quelques mois, il s'est mis à fumer des blondes dont il apprécie la fumée légèrement épicée, comme si le léger brouillard répandu autour de lui le protégeait quelque peu de l'arête coupante des objets environnants. Il lui semble percevoir un léger grattement à la porte de communication entre sa chambre et celle de Clara. Il se dresse d'un bond, éteint sa cigarette, épiant la moindre répétition de ce bruit. Soudain, il entend Clara l'appeler d'une voix étranglée :

– Nathanaël ! Nath...

À peine a-t-il ouvert la porte qu'elle s'accroche à lui.

– J'ai mal ! J'ai mal !

– Ne t'inquiète pas !

Il la prend dans ses bras, la réconforte déjà :

– Je suis là ! Tout va aller bien ! Je suis là...

Elle est brûlante. Ses traits sont tirés, elle presse ses poings serrés contre sa poitrine. Il l'allonge, tente de la mettre dans les draps, mais elle les repousse. Elle lève les yeux vers lui et dit comme en s'excusant :

– Je crois que je vais vomir.

– Viens avec moi. N'aie pas peur !

Il la soutient jusqu'à la salle de bains où elle s'effondre à demi sur le carrelage. Elle est prise d'un hoquet, puis se met à vomir. Tout son corps est à présent secoué de spasmes. D'une main, Nathanaël lui caresse doucement le front et relève les mèches qui retombent sur son visage. Entre deux hoquets, elle murmure :

– Pardonnez-moi ! Pardonnez-moi !

– Mais ce n'est rien, Clara ! Ne t'en fais pas. Tu vas aller beaucoup mieux.

Il s'est mis à genoux et la tient par la taille ; elle a passé son bras autour de son cou et, penchée, se vide à grands hoquets. Tous deux se reflètent dans la glace, accrochés l'un à l'autre au-dessus d'un gouffre dont il doit absolument la sauver ! Elle est son enfant à lui. Cet amour qui lui lacère le cœur lui donne en même temps une force, une violence surhumaines. Il tuerait volontiers pour la défendre. À cet instant, il l'aime avec une intensité dont il n'a jamais soupçonné l'ampleur. Elle laisse aller son visage contre le sien.

– J'ai l'impression que ça va mieux, dit-elle avec un timide sourire. C'est vraiment pas drôle, d'être malade. Je vous ai sali. J'ai honte...

– Aucune importance. Tu crois que c'est fini ?

Elle hoche la tête :

– Je vais me débrouiller, maintenant, si vous voulez bien...

Il l'interrompt :

– Il n'en est pas question. Viens ! Je vais d'abord te remettre au chaud. Tu grelottes. Attends, il faut d'abord te changer...

Elle lève sur lui des yeux reconnaissants. Elle a eu peur qu'il la laisse tomber. Elle est sans forces. Son petit visage a presque diminué de moitié, mais son teint est moins vert que tout à l'heure. Il l'assoit en douceur sur le petit tabouret qui jouxte le lavabo.

– Ça va ?

– Ça me tourne encore un peu, dit-elle avec une moue presque comique.

– Tu as un autre pyjama ?

– Je n'en ai pris qu'un, répond-elle en s'excusant.

– Ce n'est pas grave. Ôte déjà ta veste et prends ça en attendant.

Nathanaël lui tend la robe de chambre qu'il a revêtue.

– Je vais te chercher un pull.

Il la laisse et se dirige vers l'armoire de la chambre. En ouvrant la porte grinçante, il découvre les pauvres affaires de Clara roulées en tas. Il s'accuse d'avoir trop laissé Clara à elle-même. Il trouve un pull molletonné de laine claire.

– Tiens ! Passe déjà ça.

Elle est courbée sur son tabouret, toute repliée dans sa grande robe de chambre. On dirait une petite vieille. Il lui sourit, s'accroupit devant elle.

– Tiens ! Je vais t'aider. On dirait que tu as cent cinquante ans.

– C'est à peu près ça, répond-elle d'une voix faiblarde.

Elle claque des dents.

– Je suis sans forces, ajoute-t-elle.

Il lui ôte délicatement son peignoir et entreprend de lui enfiler le pull-over. Elle a la chair de poule. Puis il prend un gant de toilette, fait couler de l'eau chaude et lui lave avec douceur le visage, le lui essuie.

– Maintenant, viens t'asseoir sur le lit. Je vais t'aider. Il faut que tu retires ce pantalon.

– Je vais passer mon truc de danse, dit-elle. Il est là-bas, posé sur le fauteuil.

Nathanaël l'aide à s'asseoir sur le bord du lit. Elle fait glisser le pyjama sur sa culotte bleue tandis que lui, agenouillé à ses pieds, l'aide à le retirer.

– Voilà, tu vas te sentir mieux, dit-il pour la rassurer. Il lui passe son survêtement. Votre pied, mademoiselle !

L'atmosphère se détend. Elle tend d'un air fatigué un pied, puis l'autre. Nathanaël sent quelqu'un accomplir à sa place ce qu'il est en train de faire. Qui a déjà effectué ces mêmes gestes ? Son père ! L'image se précise : il est assis au bord de son lit et l'Architecte, accroupi devant lui, l'aide à enfiler ses jambes de pyjama. Il fait exprès de ne pas y parvenir, d'introduire les deux jambes de Nathanaël dans le même trou, et l'enfant éclate de rire. C'est cela, élever un enfant, pense-t-il : prendre le temps de s'amuser à se tromper de jambe de pyjama au lieu de laisser son enfant se déshabiller tout seul. Ces parties de fou rire, le soir ! Il entend tout à coup le rire de Clara au-dessus de lui.

– Vous me chatouillez, glapit-elle.

– Excuse-moi, je n'ai pas trop l'habitude d'habiller quelqu'un d'autre, dit-il, tout heureux.

Il avait oublié ce que c'était qu'être heureux. Il aide Clara à s'allonger, l'emmitoufle sous les couvertures.

– Est-ce que je peux avoir un autre oreiller ? J'ai peur, si je m'allonge trop à plat, que ça me reprenne...

En allant quérir son propre oreiller, car il n'en trouve pas d'autre dans l'armoire, il se sent léger, comme s'il allait enfin pouvoir commencer à vivre.

– Ça ne sent pas très bon, s'excuse Clara.

– Ne t'inquiète pas ! Je vais tout nettoyer. À cette heure, dans cet hôtel, il n'y a encore personne.

– Je m'en occuperai tout à l'heure, proteste-t-elle.

– Il n'en est pas question ! Ou bien me prends-tu pour un incapable ? Tu sais que j'ai fait l'E.N.A. !

– Vous ne me l'aviez pas dit, répond-elle comme si elle s'offusquait de ne point le savoir.

Tout en lavant le carrelage, en tordant et essorant les serviettes qu'il a trempées, il se dit qu'il ne lui a pour ainsi dire rien confié de lui-même. Comment escomptait-il qu'elle lui fasse confiance à son tour ? Il se plaignait qu'elle ne lui dise rien, mais lui-même était resté à cent lieues d'elle.

Ayant tout nettoyé, il revient s'asseoir sur le lit en tenant une bouteille de parfum – celui de sa mère :

– Attends, dit-il. Tu vas voir comme cela sent bon !

Il lui en dépose une goutte derrière chaque oreille, puis à la saignée de chaque poignet.

– Ce que ça sent bon, en effet ! dit-elle en fermant les yeux. J'aime les parfums.

Elle rouvre les yeux et, le considérant avec timidité, murmure :

– Vous pouvez rester encore un peu ? Je crains que cela ne me reprenne. J'ai eu tellement peur...

Il a l'impression qu'elle ne parle pas seulement du malaise qu'elle vient d'avoir, mais de tous ces derniers mois.

Il pose sa main sur la sienne :

– Ne t'inquiète plus. Je suis là, maintenant.

– Vous ne me quitterez pas ?

Il est déchiré par l'angoisse qu'il commence à deviner chez elle. Il n'a pas su mesurer la solitude de cette enfant. Il comprend pourquoi sa propre mère revenait le soir vérifier si tout allait bien, s'il dormait, l'embrassant doucement sur le front juste pour lui signifier, même s'il sommeillait déjà à demi, qu'elle était là et veillait sur lui.

Les mères, dit-on, en font trop ; mais non ! Elles

connaissent simplement la mesure d'amour nécessaire.

– Vous croyez qu'on peut mettre doucement un peu de musique sans réveiller personne ?

Il acquiesce. Elle lui montre son lecteur. Il le met en marche.

– La plage cinq, souffle-t-elle.

Il presse la commande. Le violon s'élève et déchire la nuit comme une voix lointaine qui semble les appeler. Clara lui fait signe de s'asseoir sur le lit. Son visage a recouvré de très légères couleurs, mais elle semble épuisée.

– C'est la musique que jouait mon père. Vous vous souvenez ? Je vous avais demandé de m'acheter le disque lorsque vous m'avez offert mon lecteur, pour mes treize ans.

Elle ferme les yeux pour mieux entendre. Il l'observe ; ses cheveux, légèrement collés près du front par la fièvre, s'étalent en longues mèches sur l'oreiller, emmêlés. Son pull blanc, trop grand, cache à moitié ses mains dont il aperçoit le bout des doigts posés sur le drap. Elle paraît comme emprisonnée dans une de ces camisoles claires qu'on passait autrefois aux déments. Il se rappelle les nattes sagement tressées, le ruban bleu de Biarritz. Qu'a-t-il fait d'elle, depuis, de ce trésor que les dieux lui avaient confié par une nuit étoilée au bord de l'Océan ?

La mélodie s'élance à présent comme une invitation à la danse. C'est alors qu'il remarque l'onde frissonnante qui parcourt le trop grand front, la même qui l'avait fait vaciller d'émotion, la toute première fois. Le thème reprend, puis reste en suspens, puis se répète. Oui, il songe à la première pirouette de Clara, chez mademoiselle Serane, cependant que le début du poème de Pouchkine qu'il avait lu dans le programme du *Lac des cygnes* lui revient en mémoire :

J'ai survécu à mes désirs
J'ai cessé d'aimer tous mes rêves
Je n'ai plus rien que les souffrances...

Non, il ne peut supporter que Clara souffre. Les pommettes de la jeune fille se colorent de rouge.

– Je crois que j'ai de la fièvre, murmure-t-elle. Je meurs de froid.

Soudain très inquiet, il pose sa main sur le bout des doigts qui dépassent de la manche blanche. Il s'affole. Que faire ? C'est le week-end, en pleine nuit, dans un hôtel inconnu.

– Tu as mal quelque part ? Tu veux que j'essaie d'appeler un médecin ?

– Non ! Ne vous tourmentez pas. J'ai dû manger quelque chose de pas bon. Cela m'est arrivé, quand j'étais petite. Maman disait simplement qu'il fallait une bonne bouillotte sur le ventre, ou alors simplement poser la main dessus pour apaiser les crampes, et que cela se calmait peu à peu.

Nathanaël n'est guère rassuré, mais il se dit qu'il doit la rassurer, elle, et ne pas s'agiter à tort et à travers. Si la petite recommence à souffrir, il sera toujours temps d'aviser.

– Attends, dit-il en lui empoignant le bras. Ta mère avait sûrement raison. Tu devrais essayer de te réchauffer avec ta main.

Il soulève le drap et pose la main de Clara bien à plat sur son ventre. Elle lui étreint les doigts, tremblante.

– Ne t'inquiète pas, dit-il. Je laisse aussi ma main. Ça fera deux bouillottes !

Elle sourit. Elle rajoute encore son autre main par-dessus celle de Nathanaël.

– Trois ! fait-elle en souriant.

– Quatre ! s'exclame-t-il en mettant lui aussi son autre main par-dessus.

Combien de fois n'avait-il pas joué à ce jeu avec son père sur le dessus d'une table ou l'accoudoir d'un fauteuil !

– Vous n'avez pas de chance avec moi, gémit-elle.

– Au contraire ! Jamais je ne me suis senti aussi comblé. J'étais terriblement seul, tu sais !

– Vous avez une grand-mère...

– Oui, mais elle ne fait pas de concours de danse.

– J'ai été très mauvaise.

– Mais non ! Tu n'étais pas toi, c'est tout. Tu veux toujours danser ? Tu sais, il ne faut pas te croire obligée.

Elle hoche la tête avec véhémence. Des larmes lui viennent aux yeux.

– Bon ! Eh bien, tout va s'arranger, alors ! Ensemble, nous allons trouver tout ce qui ne va pas.

– Je voudrais revoir mademoiselle Serane, mais elle ne va pas vouloir de moi. Je suis trop grosse, maintenant.

– D'abord, tu n'es pas « trop grosse », et puis mademoiselle Serane le disait toujours : « Souviens-toi : c'est une question de volonté et d'intelligence. » Je te montrerai les photos de la Callas dont je t'ai déjà parlé. Au départ, elle était dix fois comme toi. Par la suite, personne n'était aussi belle qu'elle et elle a pu révolutionner l'opéra !

Clara sourit et referme ses beaux yeux où le bleu brille à nouveau très fort.

– C'est la première fois depuis si longtemps..., murmure-t-elle. Vous vous souvenez, le soir où on m'avait volé mes chaussures au Conservatoire ?

Il se le remémore fort bien. Sarah l'avait dérangé en plein rendez-vous : Clara avait téléphoné on ne savait d'où, sanglotante ; elle avait donné un numéro ; il fallait qu'il rappelle d'urgence. C'était peu après la première rentrée. Nathanaël avait abandonné les hommes d'affaires rassemblés autour de lui, qu'il avait accepté de rencontrer en vue de retravailler et d'échapper à l'emprise de cette enfant. Clara était dans un café ; elle hoquetait tout en lui épelant le nom de l'établissement. Elle n'avait plus de chaussures. Il lui avait dit de prendre n'importe quoi, un Coca-Cola, et de l'attendre. Il allait arriver tout de suite. Il était parti, laissant là la tablée d'hommes graves, éberlués, et s'était engouffré dans un taxi qui l'avait arrêté vingt minutes plus tard devant le café. Clara était assise là au milieu de la fumée de cigarettes, des bruits de flippers, des sifflements du percolateur, des rires et des éclats de voix ; elle était assise toute droite, portant aux pieds ses pointes roses qui semblaient illuminer le carrelage gris sale, jonché de mégots. Il avait payé et l'avait emmenée, en quête du taxi garé plus loin à cause du trafic et de l'étroitesse de la rue. Il tombait une pluie lourde, comme chargée de suie, et Clara pataugeait dans cette bouillasse tandis que ses chaussons se couvraient de marbrures noirâtres.

Une autre fois, on lui avait déjà volé son sac, sa carte Orange, et c'était maintenant le tour de ses chaussures. Il l'avait sentie blessée au plus profond, humiliée, et, pour la première fois, il avait eu conscience de son impuissance à cicatriser cette plaie. Cela faisait-il partie de ce qu'on a coutume d'appeler l'apprentissage de la société ? Clara était de ces êtres qui suscitent l'envie, sinon la haine. Dans le taxi, il lui avait parlé pour la première fois de la Callas et de son hôtel, un soir, à Rome, à la façade maculée de merde. Une grande artiste pouvait aussi provoquer ce genre de réaction, lui avait-il expliqué. Chez certains, la Beauté éveille un tel sentiment de manque qu'ils sont prêts à tuer pour ne pas souffrir. Mais Clara l'avait à peine écouté, repliée sur sa propre humiliation. Sitôt arrivée, elle avait délacé ses chaussons et les avait jetés à la poubelle.

– Qu'est-ce que tu voulais me dire ? s'enquiert-il avec douceur.

– Vous pouvez remonter le drap. Je me sens mieux, même si j'ai encore un peu froid. Je vais laisser mes mains posées sur mon ventre.

Il ôte les siennes et rajuste le drap.

– Je voulais vous dire. L'autre fois...

Ses larmes se sont mises à couler et elle a du mal à finir sa phrase.

– ... Quand j'ai été obligée de marcher en chaussons en pleine rue... Il me semble... Depuis, je n'ai plus cessé d'être malheureuse. Ce soir, ça va mieux. Ç'a été comme un long voyage qui n'en finissait plus... Vous vous souvenez, avec mes chaussons, comme j'étais ridicule ?...

– Au contraire ! Tu éclairais le pavé. Tu ressemblais à un oiseau qu'on empêche de voler, et je t'ai admirée.

– C'est vrai ?

– Tu doutes de moi, maintenant ? dit Nathanaël en feignant une grimace de fureur.

Clara rit légèrement, tourne la tête sur l'oreiller, bâille et bafouille :

– Je crois que je vais dormir. Vous pouvez rester encore un peu ? Et laisser la lumière ?

Nathanaël promet, mais va s'asseoir sur le fauteuil. Il l'entend encore dire :

– Vous croyez que papa est quelque part ?

– Sûrement ! Mais, tu sais, s'il se déplace tout le temps, on ne peut pas...

Il ne sait trop comment conclure sa phrase, mais Clara dort déjà.

Demain, ils rentreront à Paris et il appellera mademoiselle Serane.

Clara soupire dans son sommeil et Nathanaël se sent envahi par une onde de plaisir qui le laisse surpris. Le parfum de sa mère flotte dans la pièce. Les cheveux de Clara roulent légèrement sur l'oreiller. Demain matin, il l'aidera à les démêler. Il cherche la brosse. Elle est sale, pleine de petites touffes de cheveux morts. Il va s'enfermer dans la salle de bains et entreprend de la nettoyer comme, enfant, il a vu faire sa mère. Dans le miroir, pour la première fois depuis longtemps, il examine sans déplaisir ses yeux qu'auréole un lacis de petites rides.

CHAPITRE 11

Lui

– Ton développé à la seconde plus grand... ne lâche pas le dos dans le grand jeté... les retirés, les bras souples, et attention à la cinquième... grand développé quatrième devant et posé chassé... grand jeté croisé, il faut penser à enjamber comme une barrière... puis première arabesque, ne pas la piquer sous soi...

Le moindre détail était repris, analysé par le professeur. Clara travaillait la variation du Corsaire de *La Bayadère* et Nathanaël, dans la mesure du possible, ne la quittait plus. Lui aussi avait fait de notables progrès : il comprenait à présent les termes, découvrait les variations des grands ballets. Il avait toujours eu d'énormes facilités à retenir ! Il lui suffisait souvent de les avoir lues une fois pour mémoriser à peu près ses leçons. Aujourd'hui, les formules mathématiques avaient cédé la place à la multiplicité des pas. Cela devenait pour lui aussi fascinant que lorsqu'il avait commencé à s'intéresser au sanskrit. Quelquefois, dans la nuit, tandis que Clara dormait dans la chambre d'à côté et que la maison entière ne résonnait plus que des grattouillis des lapins, il se penchait sur des livres de technique et comparait les positions correctes ou incorrectes du pas de basque, des flic-flac, des grands battements, cependant que les fouettés l'emportaient vers de nouvelles arabesques ou que les jetés fermés se substituaient aux jetés passés. Les échappés le laissaient rêveur, les gargouillades le ravissaient... Il s'était mis également à piocher les pas des danseurs, rêvant ainsi en solitaire à tout ce qu'il n'accomplirait jamais : le grand jeté entrelacé battu ou la grande cabriole fouettée l'entraînaient parfois, la nuit, et il s'envolait en compagnie de Clara sur des pages quadrillées, mais, au petit jour, il se réveillait, à l'étroit dans ce corps qui le narguait.

À diverses reprises, il s'était même surpris à griffonner quelques notes, poussé par une obscure obligation intérieure. Moments rares où il se sentait à son tour affranchi de l'attraction terrestre, comme si les pas de Clara avaient communiqué à sa main la vie et l'audace qui lui avaient tant manqué auparavant.

La musique reprenait, Clara recommençait, elle répétait inlassablement, jour après jour, et à chaque fois il fallait qu'elle chauffe ses muscles avant de redémarrer, et chaque jour il le fallait davantage au fur et à mesure que les difficultés des exercices grandissaient.

Après le fameux concours, mademoiselle Serane avait accepté de la revoir et l'avait reprise seule, une heure en particulier. À la fin de la première leçon, elle avait longuement parlé à Nathanaël avant d'accepter d'aller dîner avec lui et son élève. Intimidé par cette femme, Nathanaël était aussi séduit par sa façon abrupte de parler :

– Clara s'est tassée. C'était à prévoir ! Elle a cinq kilos de trop. Bon ! Nous allons travailler. J'accepte de m'en occuper, mais c'est une enfant qui ne dansera pas si on ne tient pas compte avec elle de l'âme. La technique est certes nécessaire, mais il faut qu'elle sache *vers où* s'élever, sinon... – elle s'était arrêtée et, regardant Nathanaël droit dans les yeux : ... elle mourra. En tout cas, elle ne dansera jamais plus. Or, elle veut à tout prix danser – oui, *à tout prix* – et je crois qu'à son âge elle a déjà compris le sens de la Danse. Elle peut d'ailleurs aller très loin, car elle n'acceptera jamais de se dire satisfaite. Seulement, elle a travaillé à l'envers...

Ainsi reprise en main, Nathanaël l'avait vue se transformer petit à petit. Au lycée également, elle avait eu la chance de rencontrer un professeur de français passionné par les artistes, danseurs et musiciens, et qui avait communiqué à l'adolescente la passion des écrivains et le goût de la réflexion.

Tous les soirs, Nathanaël s'arrangeait désormais pour rester avec elle. Le plus souvent, ils dînaient ensemble, mais c'était lui qui disposait le couvert, tandis que Berthe se souciait de cuisiner, souvent aidée par Clara en personne.

Au retour de cet affreux concours, elle était demeurée malade pendant près d'une semaine, incapable d'avaler quoi que ce soit. Puis elle avait paru s'être dépouillée de son enveloppe grossière et il avait vu sortir de sa gangue un être mystérieux qui mincissait de jour en jour tout en ne cessant de grandir.

Il lui avait proposé d'amener des amies à elle à

la maison, mais elle n'y tenait guère et il n'avait pas insisté. Il voulait avec elle parler de Christine, d'Amélie, de Jocelyne, d'Alexia, qu'il entrevoyait aux « Portes ouvertes » du Conservatoire à l'occasion desquelles il lui était donné de découvrir les élèves que se plaisait à fréquenter Clara. Mais, ces jours-là, elle le tenait éloigné le plus possible de la curiosité des autres filles, comme si elle souhaitait le garder jalousement pour elle, se hâtant de l'emmener loin du Conservatoire. Il découvrit ainsi qu'il lui appartenait comme, autrefois, sa mère. Il se rappelait comme elle avait naguère l'habitude d'enlever Louise dès que celle-ci s'attardait trop à parler avec d'autres gens, et il conçut une certaine fierté de la suivre à son tour comme un esclave.

– Reprends, Clara ! coupa le professeur en arrêtant la musique sur sa radiocassette.

Natacha était jeune et jolie, mais avec quelque chose d'abrupt qui, Nathanaël l'avait appris à ses dépens, n'appartenait qu'aux danseurs. Toutes et tous avaient dès leur plus jeune âge avalé tant d'heures de barre qu'elles ou ils en gardaient, quel que fût leur âge, une façon singulière de trancher dans le vif. En la regardant, il se souvint des propos de Tatiana : « À la barre, ni plus ni moins... » Mais qui était Tatiana ? Il n'avait pas eu le temps de le lui demander et était toujours sans nouvelles d'elle.

Il observa de nouveau Natacha qui avait fait débuter Clara dès l'âge de neuf ans. C'est elle qui avait eu l'idée de l'envoyer à mademoiselle Serane dès l'issue du premier cours. C'était courageux de sa part, car elle aurait pu aussi bien perdre son élève, mais elle avait préféré voir dispenser à l'enfant une bonne base plutôt que de la garder égoïstement pour elle seule.

Auparavant, Clara était allée quelques mois chez une ancienne étoile qui aurait été plus apte à donner des cours de haut niveau qu'à faire débuter de jeunes enfants. Au bout de quinze jours à peine, elle avait prié Clara de mettre des pointes ! lui avait raconté Louise à l'occasion d'un de leurs derniers dîners à Biarritz.

Nathanaël observait les jambes longues et musclées qui, pour la énième fois, reprenait à partir de la même mesure. Il songea à tous ces gosses qui abandonnaient, le cœur meurtri, à cause d'adultes inattentifs ; lui-même, Nathanaël, par égoïsme, n'avait-il pas été bien près de gâcher Clara comme on bâcle une œuvre ? Il avait fallu jadis toute l'affectueuse inquiétude de Louise pour rechercher à l'intention de son enfant les professeurs les plus valables et l'aider d'emblée à croire en elle-même.

– Cette épaule, là, attention ! Elle est plus haute et ton mouvement s'en trouve légèrement retardé.

Jamais il n'aurait pensé que la danse classique requérait une telle précision. Lui aussi, comme des milliers de gens, ne pensait qu'au rythme, à la grâce ; lui aussi, le soi-disant esthète, s'était contenté d'une approche grossière et conventionnelle de cet art. À présent, grâce à la rude connaissance qu'il en avait, il commençait à pouvoir saisir également par un pan le grand manteau moucheté de l'écriture. Ah, comme il aurait aimé avoir pour lui-même des maîtres à écouter ! Mais tous les poètes du monde ne l'entouraient-ils pas ? Il fallait simplement prendre le temps de les lire, se soustraire à la hâte de produire, à la mode, aux bavardages et aux fracas du Journal de vingt heures.

– Tu vois, Clara, maintenant que tu abordes les variations, méfie-toi. Tu ne peux commencer à interpréter que si tu dépasses la technique, et, pour dépasser la technique, il faut qu'elle soit irréprochable...

Clara n'était pas la seule à avoir des professeurs à l'extérieur. Parfois, il croisait là des élèves de l'Opéra qui, au risque de se faire renvoyer, venaient travailler tous les week-ends afin de ne pas perdre une seule minute. Tous luttaient contre le temps qui, quoi qu'il arrivât, aurait le dernier mot. C'était comme si Rembrandt avait disposé d'à peine quinze ans pour peindre. Il songea aussi à son vieil ami de soixante-treize ans écrivant *Résurrection*. Eux avaient eu le temps de voir leur art se patiner sous leurs yeux, mais la Danse, elle, traversait le ciel en météore solitaire, le temps d'une respiration. Avec les danseurs, la vie explosait à chaque seconde, dévorant à belles dents son capital, et la moindre élongation ou entorse faisait perdre des années-lumière à l'interprète.

Grimaçant de douleur, Clara venait de reprendre la même arabesque.

– Tu souffres ? questionna Natacha.

– Un peu. Je crois que j'ai un cor qui s'est enflammé.

– Il faut que tu voies un pédicure. Je te donnerai une adresse. Il s'occupe de danseurs. Tu me le rappelleras en fin de leçon. Bon, on reprend. Note : la souffrance est la meilleure compagne des danseurs. Grâce à elle, on n'est jamais seul...

Clara reprit, arborant ce pauvre petit sourire qui redoublait l'inquiétude de Nathanaël, mais il s'était fait une règle de ne jamais intervenir durant un cours. Assis sur sa chaise, il la regardait se démultiplier dans les miroirs pour n'avoir pas à s'apitoyer sur autre chose qu'un reflet.

Bientôt, il n'y eut plus que cette musique de Minkus qui se faisait chair à travers Clara, mais pouvait-on encore parler de chair ? Quel était ce corps transfiguré qui traversait les murs en lieu et place de Clara, abolissant les limites du studio ? Il y avait certes le regard de Clara, mais pouvait-il détacher et évoquer en particulier le regard, les mains, les pieds de Clara ? Au contraire, c'est lui qui se sentait regardé par Quelqu'un depuis qu'elle s'était mise à danser : le Dieu le scrutait, l'analysait, intransigeant, au plus secret de lui-même. Devant cette danse, immobile sur sa chaise de bois, lui-même passait en jugement, rejeté d'un royaume dont il découvrait dans le même instant l'infinie Beauté. Il ne demandait plus rien d'autre à la vie que cet instant durant lequel il était élu par elle, tandis que son grand jeté semblait l'emporter par-delà les siècles.

– Il est l'heure, dit Natacha. La prochaine fois, on reprendra tout morceau par morceau afin de nettoyer encore...

Clara murmura quelque chose. Elle devenait on ne peut plus timide dès qu'elle quittait la danse.

– Ah oui, j'allais oublier... Je te donne tout de suite le téléphone du pédicure. C'est un podologue, en fait. Remarquable et très gentil, tu verras.

Nathanaël tendit les billets à Natacha et, tout en ramassant le sac de Clara, ses chaussures et son nouveau manteau (la dernière fois, pendant la leçon, quelqu'un lui avait volé son duffle-coat), il se demanda quand ils allaient trouver le temps d'aller chez le podologue. Le lendemain, on était dimanche ; en semaine, elle se levait à six heures quarante-cinq pour aller au lycée, et rentrait bien souvent du Conservatoire vers vingt heures, moins tard que certaines de ses amies qui habitaient en banlieue. Il songea avec ironie aux propos d'actualité sur l'« aménagement du temps scolaire », mais, comme auraient dit certains énarques de sa connaissance, « qu'est-ce qu'elles nous emmerdent à danser ? ».

Telle était en effet la grande question. Pourquoi certains êtres passent leur vie à vouloir rendre plus pure telle interprétation de Bach cependant que d'autres tournent en rond sur eux-mêmes, mécontents de tout et de tous ? pourquoi en est-il d'autres encore aux yeux de qui la musique, la peinture, le ballet ou le théâtre, la lecture même sont inexistantes ou superfétatoires, et qui préfèrent grignoter béatement leur vie comme un épi de maïs à petites doses bien calculées ? Mais lui, Nathanaël, vers où conduisait-il sa vie ? se demandait-il, seul dans le sombre couloir de Pleyel, tandis que Clara finissait de s'habiller dans le vestiaire. Il n'eut guère le temps de continuer à s'interroger, elle l'appelait :

– Si vous téléphoniez chez le podologue, peut-être serait-il disposé à me prendre maintenant, avant le spectacle de ce soir ?

Il avait retenu des places pour assister au ballet contemporain de Georges Maurice, qui passait à Paris quelques semaines. Il acquiesça aussitôt. Il avait appris à ne plus discuter. S'occuper de Clara consistait à conduire un bolide à plus de trois cents à l'heure, par tous les temps. Lui-même était devenu un conducteur hors pair en plein Paris. Il se disait qu'il pourrait toujours se faire chauffeur de taxi si Clara parvenait à épuiser tout son avoir.

Deux heures plus tard, ils faisaient leur entrée dans l'imposant théâtre, le cor de Clara soigné : elle n'avait plus mal.

– Heureusement qu'il a pu me prendre, dit-elle. Je ne sais comment j'aurais fait pour assister à mon cours, demain matin, avec mademoiselle Serane.

– Tu ne veux pas qu'on l'annule ? Je peux encore téléphoner. Tu devrais te reposer, surtout que le spectacle va finir tard.

– Vous êtes ridicule ! J'ai mon examen de Conservatoire. Vous ne comprenez donc rien. Je *dois* travailler !

Elle avait déjà les larmes aux yeux de rage et de détresse mêlées, de fatigue aussi.

– Pardonne-moi, Clara.

– Je ne suis pas fatiguée. Laissez-moi : vous êtes pire qu'une mère !

Il n'y avait plus rien à dire, sinon à essayer de plaisanter pour lui faire oublier qu'elle vivait parmi des humains qui avaient, eux, besoin de dormir et de se détendre de temps à autre.

– Tu veux un programme ? demanda Nathanaël.

– Oui, s'il vous plaît, murmura-t-elle, aussitôt souriante, charmeuse, excitée à la perspective de voir la dernière création de Georges Maurice.

Il fut littéralement soufflé de son siège par la violence de la musique du groupe rock qu'avait choisie le chorégraphe. Le rideau se leva sur l'ensemble de la Compagnie et Nathanaël se laissa aussitôt emporter. Le spectacle lui donnait des envies de vie, de jeunesse, de rébellions ! Il n'était plus dans la société des cygnes, mais les pieds campés sur terre, avec des désirs, d'autres êtres qu'il avait envie de saisir, d'enlacer. Le plateau bougeait de tous côtés. Clara n'était plus impassible, mais rayonnante ; il la sentait impatiente, elle aussi, de courir rejoindre ses semblables sur le plateau. Toute la salle dansait imperceptiblement sur place, contaminée par une même fièvre. Vivre ! il aspirait à se dépouiller de ses habits trop sérieux, de sa bonne éducation – il voulait être aimé à son tour, laisser derrière lui les jeux virginaux des cygnes et des dieux. Être caressé lui aussi par une main fébrile, serrer un corps brûlant contre lui. Appartenir à son temps. Il était encore jeune !

Il pensa à ce moment à son père, Gabriel. Gabriel qui avait participé aux Brigades internationales, puis avait combattu durant la dernière guerre. Ce spectacle lui donnait des envies de résistance, de révolte, de révolution, mais dans quelle révolution communier aujourd'hui ? Et lui, que faisait-il, depuis des années, à lustrer son derrière dans les mêmes fauteuils en compagnie de sa grand-mère, comme s'il était passé directement de l'enfance au troisième âge ? Il enviait ces jeunes gens qui lui faisaient face, à moitié nus, le sexe en avant, qui jaillissaient de partout comme des fauves, lèvres entrouvertes. Et ces filles qui relayaient maintenant les garçons, toutes sur pointes, leur corps étiré, sans la coupure du tutu classique, invitant à leur tour à l'acte. C'était la vie ici et tout de suite.

« *Je ne croirai qu'à un dieu qui saurait danser...* » Georges Maurice avait fait sienne cette pensée de Nietzsche et était devenu un dieu pour des dizaines de milliers d'amateurs. On prétendait qu'il avait révolutionné l'art de la Danse, mais Nathanaël reconnaissait sans mal en lui la grande tradition. Les pas étaient classiques, même s'ils étaient réécrits autrement : c'était cela, la révolution ! Comme avec l'écriture : arriver à donner un autre axe à ce monde poussif, susciter chez d'autres le désir de changer quelque chose – ne serait-ce que le simple fait de se redresser, de relever la tête.

Il commençait à avoir envie d'y croire.

À l'entracte, comme à son habitude, Clara ne proféra pas un mot, mais il la sentait plus complice que d'habitude, au bord de se confier.

– J'aimerais boire quelque chose, dit-elle soudain tandis qu'il venait de lui offrir un livre écrit par Georges Maurice.

Elle voulut simplement de l'eau ; il prit une coupe de champagne. Il se sentait heureux. Il avait prévu de l'emmener dîner après le spectacle et se réjouissait déjà de cette fin de soirée. Lorsqu'ils étaient ensemble au restaurant, Clara se détendait. Elle faisait maintenant très attention à ce qu'elle mangeait, mais adorait pousser Nathanaël à goûter tel ou tel plat ou à prendre des desserts que, pour son compte, elle se refusait. Depuis quelque temps, lui-même se surveillait, d'ailleurs, inquiet de voir sa silhouette s'arrondir à l'image de celle de son père. Il revoyait sa haute stature, sa corpulence ; mais Gabriel dégageait une puissance dont lui-même était bien dépourvu. Un jour, l'une de ses amies, qui n'avait pas vingt-cinq ans, ne lui avait-elle pas confié : « Je suis folle amoureuse de ton père ! Je trouve que les hommes minces n'ont rien d'attirant. Ton père, on a l'impression qu'on serait bien à l'abri dans ses bras... » Cette remarque l'avait rendu furieux, mais il y repensait parfois, comme en cet instant.

La sonnerie mit fin à l'entracte, mais non pas à l'impatience de Clara dont les yeux bleus avaient rarement brillé avec une pareille intensité.

La musique avait monté en puissance. Il n'y avait ni prince ni paysannes en scène, ni cygnes, mais un Roméo et une Juliette en maillot chair, à l'agonie sur un lit d'hôpital, se cherchant à travers le tohu-bohu des médecins et infirmières qui s'enlaçaient dans un tango morbide. Nathanaël songea à Dante rejoignant sa Béatrice. C'est la mort que le chorégraphe couchait à ses pieds pour mieux lui faire l'amour. Il sentit qu'à son tour il pouvait s'enrouler à elle, à l'image du danseur, pour mieux découvrir l'amour, et lui qui s'était jusque-là refusé à l'acte eut la révélation que le moment était venu de vivre jusqu'au bout une rencontre avant de mourir. Dès cette nuit-là, il se remettrait à écrire, et peu importe où il se laisserait entraîner ! Au diable le sens et le message : il avait besoin de l'acte seul. Prendre sa plume et couvrir la page de lignes jusqu'à lui faire rendre l'âme dans ces mêmes spasmes auxquels il assistait sur le plateau.

Le public était debout. Clara était debout, Nathanaël aussi. Les gens hurlaient. Lorsque Georges Maurice apparut, ce fut du délire.

À l'instant où ils allaient sortir, Nathanaël fut abordé par l'un de ses anciens professeurs qu'il n'avait pas revu depuis l'E.N.A. et qu'il aimait bien autrefois.

– Nathanaël, qu'est-ce que tu fais là ? Je ne savais pas que tu t'intéressais à la danse ! Je t'avais complètement perdu de vue. Il est vrai que j'ai beaucoup voyagé. Et qui est cette charmante jeune fille ?

Nathanaël les présenta l'un à l'autre, agacé par le ton engageant de cet écrivain philosophe qu'il avait pourtant pas mal fréquenté à l'époque où il pactisait avec « le Monde ».

– Mais viens donc, je vais te présenter à Georges Maurice. C'est un ami.

Il prit le bras de Clara et les entraîna vers les coulisses. Il y avait foule sur le plateau et Nathanaël aperçut le chorégraphe au milieu de célébrités politiques ou artistiques. Vêtu d'un pull et d'un pantalon noirs, il paraissait dégager une sorte de luminosité. En l'observant, Nathanaël songea à la phrase que prononça Hugo avant de mourir : « Je vois de la lumière noire... »

Peu à peu, les gens prenaient congé. Ils attendirent encore un peu à l'écart tandis que l'ancien professeur de Nathanaël saluait et congratulait autour de lui. Enfin une trouée se fit et ils parvinrent à proximité du chorégraphe qui, sur l'instant, planta ses yeux dans ceux de Clara, ne la quittant plus de son regard turquoise de félin. Il salua à peine Nathanaël, se bornant à jauger le lien éventuel entre lui et elle, puis se mit à plaisanter de manière détendue avec leur commun ami tout en surveillant Clara avec acuité. Elle-même ne le quittait presque pas des yeux : simplement, elle abaissait parfois ses longs cils sombres, voilant, l'espace de quelques secondes, le bleu tonitruant de son regard. Nathanaël se sentait le voyeur impuissant de cette rencontre tandis qu'elle, reçue comme une princesse dans le Royaume interdit de l'Ogre, se préparait à se laisser dévorer, se dit-il, envieux de cette complicité nouvelle. Le chorégraphe affichait pourtant l'émerveillement d'un enfant devant un cadeau dont il a longtemps rêvé ; mais Nathanaël n'en était pas rassuré pour autant.

Tandis que les techniciens demandaient qu'on libérât le plateau, Georges Maurice les pria de l'accompagner et, enserrant de deux doigts le mince poignet de Clara, l'entraîna délicatement dans sa loge. Là, il ne la lâcha pas et, s'asseyant devant le miroir, la tint encore de longs moments debout à côté de lui. Jamais Nathanaël n'avait assisté à un choc aussi physique entre deux êtres, ou peut-être était-ce Clara qui déchaînait chez les autres cette sorte d'état d'urgence. Il se souvenait de leur première rencontre, mais jamais lui-même n'aurait alors osé la toucher. Ici, au contraire, entre eux deux, tout était rapide, évident. L'une avait à peine quinze ans, l'autre plus de soixante-dix, mais le monde entier aurait pu s'engloutir autour d'eux sans qu'ils s'en aperçussent ; ils se parlaient dans une autre galaxie où le temps et l'espace n'avaient plus d'existence.

Puis tout bougea autrement. L'assistant du chorégraphe fit irruption dans la loge : un danseur le réclamait. Il s'excusa, mais, se tournant vers Nathanaël, demanda que Clara l'appelle, ou plutôt qu'elle vienne là le lendemain à la leçon quotidienne que prenait la Compagnie. Tout cela lui paraissait on ne peut plus facile à mettre en pratique. Nathanaël avait eu à peine le temps de préciser que Clara dansait, mais il avait l'impression que Georges Maurice était déjà au courant de tout, et que, de toute façon, si elle n'avait pas dansé, il l'aurait fait venir quand même : ne le disait-on pas capable de faire danser un barreau de chaise ?

Ils se retrouvèrent dans la nuit de Paris. Depuis quelques jours, le printemps refusait d'aller se coucher et Nathanaël avait réservé une table dans un restaurant agréable. Il avait compris que Clara, comme tous les artistes, ne pouvait jamais trouver le sommeil sitôt après un spectacle. Comme le printemps, pensa-t-il en la regardant.

Assis devant elle, il remarqua que sa carnation, dans la lumière des bougies, avait pris une nuance plus humaine. En général, elle était plutôt d'une pâleur de craie, d'une impassibilité de statue, ou bien, comme depuis quelques jours, elle explosait en grimaces et en clowneries qui le faisaient éclater de rire, car Clara avait un don irrésistible pour imiter les gens et leur inventer des dialogues qui révélaient une lucidité rare à son âge. Elle accepta de tremper ses lèvres dans une coupe de champagne, mais, lorsqu'il voulut trinquer, elle recula avec dégoût et il se souvint trop tard de l'avertissement de Louise : « Clara ne trinque jamais... » Un jour, il oserait lui en demander la raison, mais, ce soir-là, le danger rôdait déjà bien assez.

– Comment je vais faire, demain ? Et le lycée ? demanda-t-elle, sitôt le dîner commandé.

– Je te conduirai. Tu n'iras pas au lycée. Il me semble qu'il est plus important de se rendre au rendez-vous de Georges Maurice.

– Mais vous n'assisterez pas au cours de la Compagnie ? questionna-t-elle, sur la défensive.

– Non ! Je te laisserai à l'entrée, répondit-il avec une mélancolie qui affadissait le champagne qu'ils étaient en train de boire.

– Mais vous m'attendrez quand même ? questionna-t-elle avec une égale angoisse.

– Ne t'inquiète pas. Je prendrai un livre et m'installerai au café d'en face.

– Et si cela dure deux heures ? demanda-t-elle encore.

Il comprit que, quoi qu'il arrivât, elle ne voulait pas se retrouver seule après avoir revu Georges Maurice.

– À mon avis, cela durera deux bonnes heures, et, s'il le faut, je t'attendrai jusqu'à la fin des siècles. *Amen !* s'exclama-t-il en souriant.

– Vous n'avez qu'à prendre votre ami avec vous, répondit-elle gaiement.

– Quel ami ?

– Tolstoï, votre clochard, comme dit Berthe ! Vous savez que la pauvre Berthe, comme Grany, n'entend plus grand-chose ? Il faudrait lui payer aussi des écouteurs.

– Tu as sans doute raison, répondit Nathanaël.

Pour la première fois, il la trouvait légèrement différente. Il l'observa mieux : elle faisait ses griffes avec lui depuis que l'autre avait posé sur elle ses yeux de chat. Sans prévenir, elle se pencha vers lui et sa façon de le scruter lui rappela un autre regard : celui de sa vieille amie Tatiana.

– Je n'avais jamais remarqué..., dit-elle. C'est étonnant : vous avez les yeux verts, mais vraiment verts ! Vous tenez ça de qui ?

– De ma mère.

– Et votre père ?

– Bleus. Bleus comme les tiens.

– C'est rigolo.

– Qu'est-ce qui est rigolo ?

– Les yeux.

– Évidemment, tu as gagné le gros lot avec les tiens.

– Oui, mais il y a des yeux sombres qui peuvent être magnifiques, et des verts stupides.

– Merci bien !

– Je ne disais pas cela pour vous.

Elle éclata d'un gros rire de gosse, répétant comme une chanson :

– Des verts stupides, des verts stupides... Oh, à propos, c'est chouette : Viviane et sa mère reviennent demain d'Amérique. Elles vont rester plusieurs mois. Je suis drôlement contente !

– Pourquoi ? demanda Nathanaël, ne saisissant pas très bien l'association d'idées.

– Vous vous rappelez, le premier soir avec Viviane ? Elle m'avait tout raconté en détail : l'Indien, le général, l'or, et puis votre histoire. Bien fait pour votre général de mourir en étant la risée de tout le monde !

– Pourquoi donc ?

– Il avait abandonné femme et enfants. Il n'avait eu que ce qu'il méritait. Ce serait trop facile de revenir quand tout va mal ! dit-elle soudain, les larmes aux yeux.

Nathanaël devina qu'elle pensait à son père dont

il n'avait jamais eu de nouvelles, mais il ne répondit rien.

Il remarqua alors qu'elle avait revêtu un pull de satin noir et que ses yeux étaient légèrement maquillés. Il se dit que le Cygne noir venait de faire son apparition tandis que le Cygne blanc était en passe de déserter sa maison.

La nuit venue, il alla s'attabler pour travailler tandis qu'elle dormait, gonflée de cette vie à laquelle, pour sa part et malgré lui, il renonçait peu à peu pour écrire, la décrire. Il s'arrêta un instant pour se rafraîchir dans la salle de bains. Au-dessus du lavabo, elle avait collé un petit bout de papier orné de jolis oiseaux qu'elle avait dessinés. Il aperçut aussitôt, posées dans le lavabo, les brosses qu'il lui avait offertes. Elle avait écrit de cette écriture élégante qu'il connaissait bien, car, désormais, elle lui laissait souvent des mots brefs, à la cuisine, sur sa table ou ailleurs, comme elle faisait jadis avec sa mère (en débarrassant la rue de Gramont, il avait découvert, soigneusement pliés et rangés, tous les mots de Clara que Louise avait conservés). Cette fois, il ne put s'empêcher de rire tout seul en lisant :

« BONSOIR !

« Nous sommes les cinq petites brosses de Clara, et nous aimerions bien être lavées par M. Nathanaël Vosdey, le grand écrivain. Oh oui ! Nous serions très contentes.

« Les Brosses. »

Il fit couler un filet d'eau du robinet tout en déposant un peu de shampooing sur les brosses.

Qui comprendrait le trésor que recelait cette

enfant, sinon celui qui, chaque jour, la recréait, dieu ou écrivain ?

Mais combien de pages encore la garderait-il à lui ?

CHAPITRE 12

Les ailes de Clara

Elle avait un peu vieilli, mais cela lui allait plutôt bien. La peau toujours aussi soignée, les cheveux plus courts mais travaillés entre le roux et le blond, madame Talleyrine l'avait invité à dîner. C'était lui qui, cette fois, lui avait donné rendez-vous au bar des Théâtres où il attendait l'heure de rejoindre Clara qui, en face, au Théâtre des Champs-Élysées, devait rencontrer Georges Maurice.

– Mais ne vous énervez pas ! s'écria madame Talleyrine en se moquant un brin de Nathanaël. Clara ne va pas s'échapper !

– Je sais, mais on s'est disputés, ce matin, avant qu'elle ne parte au lycée. Vous savez qu'elle ne veut plus que je la conduise...

– Et alors ? C'est à présent une jeune fille, comme Viviane. Vous savez que ma fille a un petit copain ? J'en suis ravie. Il n'a pas l'air très futé, mais bon, ce n'est pas pour la vie. Et Clara ?

Il frémit à la pensée du jeune imbécile qui bientôt accompagnerait Clara. Heureusement, pour l'heure, la danse l'occupait tant qu'il ne voyait pas comment un freluquet pourrait le moins du monde rivaliser avec elle. Par contre, il y avait

Georges Maurice, et c'est à cause de lui qu'il s'était disputé avec Clara ; elle était partie en claquant la porte, lui laissant pour tout message : « Sept heures au Théâtre des Champs-Élysées. Dans les coulisses. »

Quelques mois auparavant, après le spectacle à l'issue duquel ils avaient rencontré le chorégraphe, elle avait été, comme prévu, à la leçon du lendemain. Au retour, elle lui avait raconté le travail de la Compagnie. Jamais Nathanaël ne s'était figuré que, chaque matin, les danseurs recommencent de zéro leurs exercices comme à l'âge de dix ans, et s'échauffent une nouvelle fois avant le ballet du soir, sans oublier les répétitions de l'après-midi. Il commençait à comprendre cette déclaration de Maria Tallchieff, l'une des femmes du grand maître Balanchine, qui racontait comment ce dernier veillait encore à la composition et à la qualité des repas : « Moi, après huit heures de répétitions, disait-elle, la seule chose que j'avais encore envie de faire, c'était de prendre soin de mes pieds endoloris ! »

– Ainsi, il a rappelé Clara ? questionna madame Talleyrine.

– Oui, le soir même, Georges Maurice téléphonait pour dire qu'il revenait dans trois mois à Paris et qu'il la verrait plus longuement. Je suis sûr qu'il l'a déjà oubliée. Il est sollicité dans le monde entier. Mais non, Clara s'est obstinée ! Cela fait quatre jours qu'elle attend dans les coulisses qu'il l'auditionne.

– Mais vous l'avez vu !

– Oui, en courant d'air, après le spectacle, mais

c'est tout juste s'il nous a salués. Elle est ridicule d'espérer davantage.

– Laissez-la faire, au contraire. J'aurais aimé que Viviane se montre aussi opiniâtre. C'est la marque de tout grand artiste. Elle ne renonce pas à son désir d'enfant, et ce qui est humiliant pour nous, gens civilisés, ne l'est pas pour elle qui ne voit que l'objet de son désir : danser chez Georges Maurice. Finalement, je l'envie.

– Pourquoi donc ?

– Comme la plupart, j'ai renoncé à tous mes rêves, les uns après les autres. Par raison, par lassitude, par gentillesse. Pour faire plaisir à ma mère divorcée, à mon mari protecteur, à ma fille révoltée, à Dieu sait qui encore. Finalement, mon mari me trompe avec des jeunes femmes pleines d'avenir, comme il dit, qui le comprennent dans ses ambitions, mon fils bardé de diplômes considère sa mère avec condescendance – « Elle n'a même pas le bac ! » –, et Viviane, qui, à dix-sept ans, ne sait que me dire : « Moi, je ne vivrai pas comme toi », gagne déjà sa vie en faisant des sitcoms dont la débilité me laisse pantoise. C'est curieux...

– Qu'est-ce qui est curieux ? s'enquit Nathanaël avec douceur.

Madame Talleyrine l'attendrissait. Pour la première fois, il découvrait et mesurait sa solitude.

– Je suis la seule à lire dans cette famille, et pas seulement les journaux à la mode ou de petits romans. J'ai lu entièrement les *Rougon-Macquart* ou *À la recherche du temps perdu*, par exemple. Ainsi fais-je en sorte de ne pas perdre ma chère langue française. Eh bien, je suis quand même considérée avec mépris comme « madame Talleyrine » par ceux qui n'ont plus le temps ni de lire ni de prier – oui, je prie aussi depuis quelques mois, peut-être pour passer le temps... « Madame Talleyrine » ! disent-ils, mais en réalité je n'existe pas. Je suis celle qui accompagne le mari, la fille, etc. Vous savez, je pense souvent à Louise, à ce qu'elle me disait...

– Moi aussi, répondit Nathanaël. En fait, je pense de plus en plus à elle.

– À cause de Clara ?

– Oui, qu'est-ce qu'elle va devenir ? Elle m'a avoué l'autre jour qu'elle songeait aussi à la chorégraphie, mais elle tient d'abord et par-dessus tout à être danseuse ! Et une grande danseuse ! Je ne sais plus quoi faire pour l'aider. Cela tourne de plus en plus à la folie. J'ai peur pour sa santé.

– De fait, elle a beaucoup maigri.

– Pourtant, elle mange. Heureusement qu'elle ne se fait pas vomir, comme certaines de ses camarades, pour ne pas prendre un gramme.

– Quelle horreur ! Comment savez-vous cela ?

– C'est Clara qui me l'a raconté. Je me méfiais, mais, à la différence des autres dont elle m'a parlé, d'une part elle est déjà passée par une crise de boulimie il y a à peu près deux ans, d'autre part, elle se fait désormais elle-même la cuisine. Mais vous ne lui ferez pas toucher au moindre dessert, à une portion de frites ou à un verre de vin.

– Quelle vie ! s'exclama madame Talleyrine.

– Je découvre tous les jours cette race à part : les danseuses classiques, et je vous assure qu'elles ne sont pas faites comme les autres humains.

Madame Talleyrine resta un instant songeuse

devant la coupe de champagne qu'elle avait prise en attendant le dîner.

– Si j'avais pu prévoir, le jour où je vous ai téléphoné...

– Je ne regrette rien ! Je me demande simplement où nous allons, Clara et moi, mais je pense que ç'aurait été dramatique sans la danse. En fait, son vrai père ou sa vraie mère, c'est la Danse avec un grand D, la majuscule du Mythe ! Un D comme Dieu tout-puissant ! Je doute d'ailleurs que certains moines atteignent au même degré d'ascétisme que certains de ces artistes. Qu'est-ce qui vous fait sourire ?

– Nos enfants, murmura madame Talleyrine. L'une, toujours joufflue, toujours aussi rousse, gagne des cent et des mille en levant à peine le petit doigt, mais elle est gentille et j'ai donc plutôt de la chance ; et l'autre s'épuise à ne rien gagner, si ce n'est la perfection.

– Combien gagne Viviane ?

– En moyenne, cinq mille francs par jour. Pardessus le marché, elle parle couramment l'américain : elle commence à être très demandée.

– Elle joue comment ?

– Très naturelle. Elle passe bien à l'écran et son père en est très fier. Bien plus que si elle avait voulu continuer à danser. Et pourtant !

– Et vous ?

– Moi, je suis heureuse si Viviane est heureuse, et je pourrai toujours aller voir danser Clara.

– Si elle danse un jour...

– Comment cela ?

– Il y a de moins en moins de compagnies classiques. Les grands chorégraphes se sont ruinés les uns après les autres, ou bien leur troupe ne travaille pas assez, et un danseur qui ne danse pas dégringole en très peu de temps.

– Mais il y a autre chose que le classique ?

– Il n'y a pas de vraie différence... Les grands chorégraphes – Robbins, Béjart, Balanchine, Forsythe – ont en fait besoin de très grands danseurs classiques, mais on ne le sait pas ; on mélange tout. Le public a l'impression que la danse gagne partout, mais, bien souvent, c'est n'importe quoi ! C'est comme si vous confondiez les magazines et les livres...

– Au moins, vous savez maintenant ce que c'est que d'avoir une danseuse dans sa vie ! s'exclama madame Talleyrine en levant son verre.

– Mon Dieu ! soupira Nathanaël. Il faut que je vous abandonne pour aller retrouver Clara.

– Ne vous inquiétez pas, Viviane va arriver d'une minute à l'autre. Courage ! ajouta-t-elle avec un petit signe.

Nathanaël s'inclina devant madame Talleyrine et, traversant l'avenue en hâte, se présenta à l'entrée des artistes. Clara n'était pas là, mais on le reconnut, puisque cela faisait trois jours qu'il venait, et on le laissa monter. Une fois dans les coulisses, il s'immobilisa : sur le grand plateau, elle dansait seule, et dansait pour le maître. De trois quarts, il aperçut ce dernier, chevauchant une chaise, en face de Clara. La musique de Wagner les isolait du reste du monde.

Ainsi, elle était arrivée à ses fins ! Toute petite, vers six, sept ans, lui avait un jour raconté Louise, elle avait vu à la télévision cette chorégraphie de Georges Maurice, et avait juré qu'elle la danserait un jour. Peut-être était-ce ce pas qui avait brusquement tendu entre le maître et elle son fil d'Ariane.

Le chant de Brünnhilde s'élevait, devenait le corps même de Clara. Impuissant et transporté, Nathanaël assistait à cet échange auquel il n'avait aucune part. Il ne pouvait même plus en être jaloux, car l'entente entre celle qui était encore une enfant et le génie de soixante-dix ans était si évidente que toute différence d'âge entre eux était abolie. Elle devenait la flamme du bûcher où elle allait s'immoler.

Le texte lui revenait à peu près :

> *Un feu clair illumine mon cœur et m'enlace à Siegfried.*
> *Unie à lui dans l'étreinte d'un suprême amour...*

Clara volait au-dessus de la scène, comme pour chercher à enlacer le dieu. C'est alors qu'il aperçut à nouveau son visage : celui-là même qui l'avait tant ému, la première fois. La déesse était revenue, la petite-fille de Cranach resplendissait de toutes ses flammes meurtrières.

Il y eut un silence. Elle était à terre, haletante. Un moment silencieux, le chorégraphe lui fit signe de venir à lui. Elle s'agenouilla à ses pieds. Il se mit à lui parler et Nathanaël remarqua qu'ils avaient tous deux un regard d'eau transparente. Le regard inhumain des chats égyptiens.

Au bout d'un long moment d'entretien en tête à tête, Clara se leva et Nathanaël vit Georges Maurice encercler son poignet comme il avait fait la première fois.

Nathanaël repensa alors à l'anneau qu'il avait promis à la vieille dame qu'il n'avait pas revue. Demain, il retournerait au Café Marly et la retrouverait coûte que coûte. Il lui achèterait cet anneau d'or !

– Nathanaël, Georges Maurice veut vous voir !

Il s'avança gauchement vers le maître qui l'accueillit comme un ami de longue date tout en le scrutant avec une certaine inquiétude.

– Clara a fait d'énormes progrès, mais on lui a mal enseigné ma chorégraphie. C'est toujours comme ça ! Je veux moi-même la lui faire répéter. Je retourne chez moi dans trois semaines, elle n'a qu'à venir. J'aurai du temps pour elle. Qu'elle appelle ma secrétaire. Travaille, Clara ! À bientôt, mais rassure-toi, tu la danseras, cette Brünnhilde...

Ils se retrouvèrent dehors. Clara ne marchait pas, elle flottait, riait aux anges. Où était-elle celle qui, le matin même, avait claqué la porte ?

– Vous voyez, Nathanaël, j'avais raison. J'ai gagné !

– Je le reconnais ! Mais, tu sais, j'ai besoin d'être houspillé : je suis un vieil adulte.

– Vous n'êtes pas du tout vieux et, d'ailleurs, Viviane a un faible pour vous, dit-elle malicieusement.

Il haussa les épaules :

– Je pourrais être son père ! répondit-il maladroitement.

Mais rien ne pouvait troubler Clara après la promesse de Georges Maurice.

– Vous êtes toujours inquiet, c'est agaçant. Sans compter que je me suis levée pour rien.

– Comment cela ?

– À huit heures et demie, la professeur d'anatomie n'est pas venue ; à neuf heures et demie, celui de physique a dû s'absenter, et à onze heures il y a eu une alerte au feu ! Ainsi, j'ai passé toute la matinée au lycée pour rien. Cela fait deux jours de suite qu'il en va ainsi.

Nathanaël était furieux contre le corps enseignant : Clara avait tant besoin de dormir ! Avec toutes ses heures de danse, elle se levait avant l'aube pour des professeurs qui ne daignaient même pas assurer leurs cours. Elle avait un examen de danse d'ici une semaine, donc avait repris des leçons le dimanche. Comment faisait-elle pour tenir bon alors que lui-même commençait à vaciller de fatigue ? Il est vrai qu'il écrivait maintenant une partie de la nuit, coincé dans la journée entre Sarah, de plus en plus impotente, qui le réclamait sans cesse, Berthe et Ferdinand, qui ne faisaient plus grand-chose mais s'obstinaient à vouloir se rendre utiles tout en s'insurgeant contre l'idée que quelqu'un de nouveau entrât dans cette maison : « L'infirmière pour Sarah, ça suffit ! ressassait Berthe ; elle nous fait bien assez de tintouin comme ça dans la cuisine pour le déjeuner ! Et puis, Monsieur Nathanaël, nous avons Clara qui nous aide. Vous savez qu'elle est douée pour la cuisine, elle qui n'avale rien ! »

Car Clara ne cessait à nouveau de maigrir et il épiait avec anxiété le moment où elle risquait de basculer dans la maladie.

– Tu viens dîner avec nous, ce soir ? demanda-t-il, espérant une réponse affirmative.

– Si cela ne vous fait rien, je rentre avec Viviane à la maison. Nous n'avons pas beaucoup d'occasions de nous voir. Profitez-en pour sortir avec madame Talleyrine, mais attention, ne rentrez pas trop tard, car vous n'avez pas bonne mine...

C'était un comble ! Voici qu'elle prétendait veiller sur lui ! Eh bien, lui aussi allait en profiter, « s'éclater », comme disaient les jeunes d'aujourd'hui !

Il se sentit envahi d'une rage froide, sans bien en connaître la raison. Sans doute était-il jaloux d'elle, tout à coup, ou peut-être de l'autre, là-bas, assis tranquillement à califourchon sur sa chaise, et qui, dans sa grosse patte, venait de lui enlever Clara !

Celle-ci avait déjà filé avec Viviane qu'elle était allée retrouver de sa démarche ondoyante de vagues blanches.

– Vous n'avez pas l'air content ? s'enquit madame Talleyrine.

– Elle n'a même pas dit au revoir, grinça Nathanaël, les dents serrées.

– Vous êtes drôle : elle se libère de vous ! Vous ne faisiez pas de même avec vos parents ? Il est grand temps qu'elle s'envole... surtout s'agissant d'une danseuse, non ?

– Vous avez raison, allons dîner tous les deux.

Il faillit ajouter : « en amoureux ». Il se sentit presque vengé. Du moins le croyait-il, et il posa sa main sur celle de madame Talleyrine.

CHAPITRE 13

La sueur de la beauté

Ils avaient bien arrosé le dîner, comme on dit, mais plus Nathanaël tentait de s'enivrer, plus le visage de Clara s'installait confortablement en lui, y prenant toutes ses aises.

L'appartement de Christina – il l'appelait désormais ainsi – était somptueux. Par les grandes baies vitrées, il regardait Paris illuminé.

– On dirait un enfant qui découvre la tour Eiffel, murmura-t-elle tendrement.

– Pas tout à fait, protesta-t-il. Je me disais qu'elle va exactement dans le sens contraire...

– Quel sens ?

– À l'opposé de Clara... Lorsque je songe à elle, j'ai l'impression qu'il faudrait le double de l'attraction terrestre pour la retenir sur terre : elle s'échappe vers le haut. En revanche, si j'observe la tour Eiffel, j'ai l'impression qu'elle vient de se poser et ne cesse de s'enfoncer de ses quatre fers dans le sol.

– Tenez, votre whisky !

Elle lui tendit son verre tout en l'enlaçant par-derrière, et lui déposa un baiser au creux de l'oreille. Il voulut la retenir, mais elle s'esquiva pour aller s'asseoir sur le canapé.

– Vous vous rappelez, la tour Eiffel ? Ce soir, c'est presque moi qui vous demanderais de m'en confectionner une.

– Cela fait si longtemps..., dit-il, rêveur.

– Pourtant, vous n'avez pas changé, et c'est ce qui m'inquiète. Je sais bien : moi non plus, je n'ai pas vu mes enfants grandir. Surtout Viviane, que j'ai eue avec moi tous les jours. Par contre, avec mon fils qui ne revenait qu'aux vacances, j'ai su dès le premier coup d'œil que j'avais un homme en face de moi, et plus du tout mon enfant. Pour ce qui est de Clara et de vous-même, c'est plus dangereux : on a l'impression que vous vous êtes arrêté à l'âge où vous l'avez rencontrée.

– Pas tout à fait. Vous savez, la danse a tout occulté entre nous. Le temps n'est qu'une longue succession d'instants occupés à parfaire le chef-d'œuvre : la danseuse.

– Je vous avais prévenu dès le premier jour, dit-elle non sans malice : les chaussons, les professeurs, les concours, les...

– C'est bien pire que je ne l'imaginais, mais, en même temps, plus réconfortant. Un jour, ou plutôt une nuit étoilée, j'ai pris avec Clara un billet pour un très long voyage vers la planète Danse, et cela a suspendu le temps entre nous deux. Chaque seconde était comme une sorte d'épreuve. Je ne sais si vous avez lu ces romans initiatiques où le chevalier est en butte à un certain nombre d'obstacles ou d'avanies avant d'atteindre le but suprême : posséder le Graal ?...

– Mais Clara est une jeune fille ! Ne tuez pas le

Cygne blanc, comme Parsifal ! dit-elle en levant son verre dans sa direction.

Il songea que c'était la deuxième fois qu'elle faisait ce geste ; à la troisième, un coq se mettrait-il à chanter ? Mais qui était-il en train de trahir ?

– Vous voyez que toute « madame Talleyrine » qu'elle est, ajouta-t-elle d'une voix un peu plus triste et traînante, Christina a de la culture. Comme toutes les épouses d'hommes d'affaires, j'ai été au festival de Bayreuth avec mon mari.

– Ne soyez pas cynique ! protesta-t-il en se tournant vers elle. Cela ne va heureusement pas aux femmes ! Au surplus, les hommes d'affaires d'aujourd'hui n'ont même plus le temps ni l'envie d'aller à Bayreuth. Tout cela remonte à une autre époque. Je me demande d'ailleurs à quoi rime aujourd'hui notre recherche de la perfection : cela a-t-il encore un sens ?

– Là, mon cher, vous posez la question de notre forme de société. Pourquoi se lever le matin ? On a trouvé désormais une réponse.

– Laquelle ?

– Je me lève pour consommer ! Je me couche pour consommer : nourriture, objets, hommes ou femmes, œuvres et artistes... Vous n'avez qu'à regarder la télévision : les artistes ne sont plus invités pour eux-mêmes, mais pour agrémenter un produit, illustrer une soirée. Ils ne se suffisent plus à eux-mêmes, ils sont devenus des hommes-sandwiches. Aujourd'hui, la Traviata orne des paquets de lessive !

– Je crois, moi, que ce n'est pas la solution. Cette réponse-là est d'ordre matériel ; demain, il faudra trouver un nouveau concept.

– Le spirituel ? Laissez-moi rire ! Vous êtes comme votre père : un idéaliste. Attendez que Clara redescende sur terre, vous allez voir !

– Mais elle aussi consomme ! Je me ruine en parfums qu'elle essaie, en cosmétiques, en habits ; je commence à connaître toutes les marques à la mode. Mais la Danse arrive toujours à avoir le dernier mot, comme un ogre qui engraisse sa victime pour mieux la savourer.

Ils se mirent à rire tous deux, pour rien, ou parce que l'appartement était chaleureux, parce que au-dehors l'automne déroulait dans la nuit ses parures dorées avant d'aller les déposer au coffre. Parce qu'ils étaient, l'espace de quelques heures, sans leurs enfants, rendus à eux-mêmes, comme en apesanteur.

Il se dirigea vers elle, posa son verre ; au même instant, elle s'était levée pour aller quérir il ne savait quoi. Ils étaient face à face, suspendus, irresponsables encore.

– Vous me rappelez votre père..., parvint-elle à articuler d'une voix légèrement étranglée. Gabriel...

Parce qu'elle avait prononcé le prénom de son père, parce qu'à ce moment il échappait à tout contrôle, croyant atteindre à cette existence banale, semblable aux autres, à laquelle il aspirait, croyait-il, depuis son enfance, il la prit aux épaules un peu rudement. C'est alors qu'elle l'embrassa, murmurant entre deux baisers :

– Nathanaël, Nathanaël...

Il ne ressentait aucune joie, aucun plaisir. Au contraire, au fur et à mesure que ce baiser se prolongeait, il devenait plus lucide, il s'éloignait de lui-même, ironique, bientôt sarcastique. Il aperçut une goutte de sueur qui glissait le long de la tempe de madame Talleyrine, et la réflexion de George Balanchine à propos de la danse lui revint en mémoire : « D'abord vient la sueur. Puis vient la Beauté, si vous avez beaucoup de chance et que vous avez prié... »

Elle leva son visage vers lui, interdite. Elle l'émouvait, avec ses yeux bruns, légèrement écarquillés comme ceux de Viviane enfant ; mais il ne pouvait se perdre dans cette eau-là. Au contraire, c'est comme s'il s'y était réfléchi : il y voyait un homme libre, entre deux âges, qui allait séduire une femme mariée pour rien, pour passer le temps, mais sûrement pas au nom de l'Idéal. Il recula légèrement, la prit par la main. Il ne voulait surtout pas l'humilier par un refus, alors qu'il ressentait douloureusement la solitude de cette femme, mais l'instant était passé à la seconde même où elle l'avait embrassé. Il n'avait pas pu traverser le miroir avec elle. Elle n'était pas la Mort, et ne pouvait donc être l'Amour.

Il admira le tact de madame Talleyrine qui, délaissant sa main, alla se rasseoir sur le canapé :

– Je l'avais dit à Louise : vous recherchez un absolu. Je savais qu'elle envisageait de vous confier Clara. Nous en avions parlé. Ce soir encore, j'ai pu vérifier votre sérieux, ajouta-t-elle avec un brin de moquerie qui détendit l'atmosphère. En cela, vous ressemblez à Gabriel. En architecture, lui aussi cherchait la proportion juste qui viendrait sauver le monde. Vous avez remarqué ? demanda-t-elle tout à coup.

– Quoi donc ?

– Cela m'a frappée, ce soir, en voyant Clara

arriver. Elle ressemble à Gabriel. Les mêmes yeux qu'on dirait ouverts sur le côté du visage. Comme si le monde entier était convié à se réfléchir dans leur angle de vision.

Elle releva la tête et lança :

– C'est terrible, de ne pas être élu !

– Comment cela ?

– Je ne parle pas du choix de Dieu, poursuivit-elle en s'adossant, soudain fatiguée, contre le dossier du canapé, mais de la vie de tous les jours. Il y a des Gabriel, des Clara, et puis il y a *nous*. Pour moi, c'est moins grave, je m'accommode assez bien du quotidien. J'aimerais peut-être emprunter de temps à autre un chemin de traverse, mais rien de plus grave, précisa-t-elle avec un léger haussement d'épaules.

Elle se releva, alla rallumer la chaîne d'où s'éleva un air murmurant de blues, puis, se retournant :

– Je tiens par-dessus tout à votre amitié, même si nous restons des mois sans nous voir. Je ne me vois pas vieillir sans vous, ajouta-t-elle rapidement, les larmes aux yeux. Vous restez pour moi le dernier humain sur cette Terre... Je ne comprends plus Viviane ! Pourtant, elle m'était si proche...

Il reconnaissait l'air de blues. Il avait dansé sur ce disque, dans sa jeunesse. À travers le salon, il voyait cette femme tenter de faire face au milieu de l'arène. Elle avait reçu au cœur des banderilles, mais elle relevait fièrement sa belle tête de lionne, les deux pieds bien enfoncés dans le sol. Le blues tissait autour d'eux des lambeaux de tendresse.

– Et moi ? dit-il, perdu au milieu des arabesques du saxo ténor.

– Vous ? Vous ne savez pas danser. Du moins

pas comme Clara. Il ne vous reste donc qu'à prier pour tenter d'attendrir les dieux.

– Afin d'être élu ?

Elle eut une moue dubitative qui les fit rire légèrement. Le danger était passé, la complicité entre eux reprenait, encore un peu gauche mais réchauffée par la musique.

Elle s'inquiéta pourtant :

– Il n'est pas trop tard. Vous restez encore un peu ?

– Avec plaisir. Vous savez, je ne sors pas souvent.

Elle se reversa à boire et, levant son verre pour la troisième fois :

– À nos enfants et à leurs amours, car c'est en définitive le plus important, dit-elle en revenant s'asseoir.

Il s'installa en face d'elle, soudain angoissé. Clara n'était pas Viviane. Et si elle abandonnait un jour la danse pour quelque amour, autrement dit par bêtise ? Souvent, il avait redouté qu'elle vînt à renoncer par fatigue, ou à cause d'un accident, mais il n'avait encore jamais songé à l'amour.

Le blues continuait à les enserrer dans ses lents serpentins. Pourquoi fuyait-il ainsi les plaisirs du monde ? Pourquoi ne pas rester cette nuit ici ? Mais les yeux de Clara ne cessaient de le darder de leur flamme froide, de plus en plus limpide. Ne serait-ce qu'un instant, il aurait aimé qu'elle cessât de le poursuivre, qu'elle lui permît de se détendre ne fût-ce qu'une heure.

À présent, il souhaitait rentrer et écrire. Retourner vers ces nuits blanches où elle dansait pour lui seul, traversant d'un pied exigeant ses pages qui le laissaient terrassé, esclave de cette enfant-oiseau.

C'était comme s'il avait contracté une maladie grave : tout le reste était relégué au second plan. Voilà à quoi ressemblait pour lui l'écriture : à un mal qui venait de le contaminer, le forçant à se séparer peu à peu de tout, peut-être même un jour à dire adieu à Clara. C'est elle et la Danse qui lui avaient redonné le courage d'aligner un mot après l'autre, sans pudeur ni vanité.

Parfois, il posait sa plume et allait épier son sommeil, debout sur le seuil de sa chambre, et il était heureux, simplement heureux, comme lorsqu'il trempait son stylo dans l'encre pour le recharger.

Madame Talleyrine avait baissé la lumière et entrouvert la fenêtre. La nuit en profita pour s'enrouler aux pieds de Nathanaël, le paralysant encore un peu plus. En regagnant son siège, madame Talleyrine lui effleura la joue. Le blues se déchirait à présent entre eux deux. Il n'avait plus guère envie de rentrer, mais d'être consolé à son tour.

– Est-ce que la perfection n'est pas tout simplement la mort ? Il parlait comme pour lui-même. À force de voir travailler Clara, je me demande parfois si tout cela n'est pas profondément stérile.

Elle éclata d'un beau rire.

– La danse vous a décidément tourné la tête ! Le principal est qu'elle aime ça. La vie n'a rien à voir avec l'art. La vie est brouillonne, pleine de ratures, d'essais avortés. Regardez mon visage : une ride par ci, une mèche qui vient de s'échapper, un sourire qui vire aux larmes, mais c'est la vie !

Ça hésite, ça brinqueballe, ça claudique comme un muscle cardiaque...

– Tandis que l'art ne cesse de chercher à monter vers... mais vers quoi ?

– Je ne sais pas, moi ! Vous êtes drôle. Et vous, vous êtes à la recherche de quoi, au juste ? dit-elle sans penser à mal.

– Et si la Beauté n'était rien d'autre que le masque de la Mort ? murmura Nathanaël. Le Cygne qu'on tue en plein vol, la page ultime, le mot de la fin, le point et le silence après le point. Le blanc.

– Il est fou ! s'esclaffa madame Talleyrine. Monsieur Vosdey, venez donc à la cuisine, nous allons manger quelque chose, car nous avons trop bu et, pour rêver, il faut avoir les pieds sur terre, mon ami. Vous êtes devenu encore plus diaphane que Clara. Une chose que j'ai apprise en tout cas avec mademoiselle Serane, c'est qu'il faut des forces pour danser.

– La puissance et la grâce... Mais quel paradoxe ! Tout passe par le corps, et tout se passe hors du corps. La danse réunit deux inconciliables. Il y faut un corps aussi puissant que celui d'un sportif, et je trouve qu'on ne le dit pas assez. Lorsque Clara s'élance vers un grand jeté, vous n'avez pas idée de l'énergie qu'elle déploie...

– Rappelez-moi de quoi il s'agit, demanda-t-elle en faisant griller des toasts. Vous savez, avec Viviane, nous nous sommes arrêtées à la pirouette ! Vous vous souvenez ? J'y pensais, l'autre jour, en voyant à la télévision le Cygne noir tournoyer...

– Vous vous trompez ! Il ne s'agit pas ici de

pirouettes, mais de fouettés. Normalement, pour respecter la tradition, la danseuse doit en faire trente-deux d'affilée. C'est on ne peut plus difficile ! On m'a raconté qu'une danseuse faisait toujours exprès d'arriver en retard, l'air affolée, comme redoutant d'obéir aux ordres du magicien, pour avoir moins de fouettés à produire. Voilà aussi ce qui m'attire dans la danse : comme dans l'écriture, il y a toute une série de signes et de règles à respecter ; à défaut, il n'y a plus ni forme ni contenu.

– Oui, mais ne peut-on changer un peu la tradition ? Il faut que ça bouge, comme dirait Viviane !

– Qu'est-ce que la tradition ? Lorsque, au dix-septième siècle, Beauchamps définit les cinq positions, il n'est pas la tradition ; quand, en 1813, la Française Geneviève Gosselin utilise pour la première fois les pointes, elle crée une nouvelle forme.

– Je croyais que c'était Taglioni... Mais comment savez-vous tout cela ?

– Je me suis documenté, et puis Clara m'en parle tout le temps. Comme dit Georges Maurice en reprenant Hegel, la tradition est un « long fleuve » qu'il ne faut surtout pas chercher à couper, sinon il n'y aura plus d'eau du tout. Il rappelle à juste titre que tous les grands ballets que défendent nos bien-pensants ont à peine un siècle d'existence. *Le Lac des cygnes* a connu un échec épouvantable la première fois qu'il a été donné – ce n'était certes pas la chorégraphie d'aujourd'hui, mais quand même !

– En France, vous avez tendance à tout étiqueter.

– À propos, on a proposé à Clara de faire des photos en danseuse pour un parfum qu'une grande maison s'apprête à lancer sous l'appellation *Ascèse*. Ils aiment son visage, mais j'hésite...

– Et elle ?

– Curieusement, elle serait plutôt d'accord.

– Laissez-la faire.

– J'ai peur que ça ne lui nuise.

– Tout peut nuire ! Réussir, chez vous autres, marque toujours le début des emmerdements...

– Vous n'aimez plus la France.

– Au contraire ! Mais j'aimerais y retrouver cette atmosphère joyeuse et optimiste que j'y ai connue dans ma jeunesse... En attendant, vous ne m'avez pas expliqué mon grand jeté, sourit Christina en sortant une boîte de foie gras.

– Je vous parlais de la puissance : la danseuse s'élance un peu comme pour les sauts en longueur ou en hauteur, et hop ! elle s'envole en grand écart dans les airs. Mais là où vous pouvez voir les athlètes grimacer de souffrance, la danseuse demeure souriante et, surtout, retombe avec légèreté sur le sol, comme si elle nous arrivait tout droit du ciel. N'empêche : derrière cela, tout le squelette en a pris un sacré coup. En fait, c'est du sport de haut niveau, mais ses adeptes, surtout en formation, n'ont derrière eux ni équipe technique, ni masseurs, ni médecins...

– Ni dopage, ni sponsors !

– Mais attendez, ce n'est pas fini : dans le grand jeté, il ne s'agit pas de lever les épaules pour s'envoler, au contraire : il faut laisser retomber ses épaules vers le bas, ainsi le cou est dégagé, mais sans redresser la tête, comme ça...

À cet instant, le lustre moderne suspendu au-dessus d'eux dans la cuisine reçut de plein fouet les bras de Nathanaël qui tentait d'esquisser une démonstration de grand jeté. Il atterrit dans un fracas de verre brisé et tout s'éteignit dans l'appartement. Madame Talleyrine, son plateau à la main prêt à servir, lâcha tout en bondissant en arrière.

– Pardonnez-moi, gémit Nathanaël qui avait reçu un éclat du lustre et sentait un peu de sang couler sur sa joue. Vous n'avez rien ? Vous pleurez ?

– Non ! Je ris ! Je ris ! hoquetait Christina. C'est mon foie gras qui a fait un grand jeté ! En fait, vous voyez, nous nageons dans la tradition ! Toute la boisson s'est répandue. Faites attention à ne pas glisser. Quant à moi, je n'irais pas bien loin : j'ai les fesses en plein dedans !

Ils riaient comme des gosses excités par la catastrophe qu'ils ont provoquée. Madame Talleyrine lâcha dans un nouveau hoquet :

– Cette fois, je me sens bien en France. Merci !

CHAPITRE 14

Appassionata

– Je ne te vois pas beaucoup, mon pauvre enfant.

– Ne m'en fais pas reproche, Grany, je cours partout.

– Tu n'as plus les lapins, pourtant !

– Je ne sais ce que je serais devenu si on les avait gardés. Heureusement, Clara est contente de les savoir bien tranquilles à la campagne. Je ne remercierai jamais assez Berthe et Ferdinand de m'en avoir débarrassé. Ils projetaient les brins de paille de plus en plus loin avec leurs crottes : la cuisine était devenue inabordable. Qu'est-ce que tu écoutais ?

– Beethoven. C'est magnifique, l'équipement que tu m'as offert, mon petit. Je peux choisir mes disques et les commander à distance, je n'ai plus aucun problème.

Nathanaël avait procédé à toute une installation pour lui permettre, une fois assise dans son fauteuil, d'écouter de la musique sans avoir à appeler quelqu'un à tout bout de champ ; surtout l'après-midi, l'infirmière ne revenant que vers vingt heures, car Grany, malgré son grand âge, refusait obstinément de dîner tôt.

– Avec ce nouvel appareil, j'entends les sons comme si j'étais au concert. J'aurais tellement aimé que tu deviennes musicien... Tu ne joues presque plus du piano. Heureusement, dit-elle en levant les mains dans un geste de résignation, il y a Clara. À propos, tu devrais songer à te marier. Je ne suis pas éternelle, et il y aura grand besoin ici d'une présence féminine...

– Mais, Grany, elle va avoir seize ans...

– Je parle de toi ! Tu ne vas pas rester seul comme un vieux garçon quand elle sera partie danser ! Je me demande d'ailleurs ce que tu fais de tes journées. En tout cas, méfie-toi des femmes mariées. Jamais Gabriel ne se serait approché de femmes mariées !

– Mais, Grany, je ne sors jamais.

– Ce n'est pas ce qu'on m'a raconté.

– Qui donc ?

– Viviane et Clara étaient en joie, l'autre jour. Il paraît que lorsque Viviane est rentrée chez elle, l'électricité avait sauté, sa mère était en peignoir, une bougie à la main, tu arborais une grande estafilade en travers de la joue, dont la trace se voit encore. Toi aussi, tu étais en peignoir...

– Mais, Grany, ce n'est pas du tout ce qu'on t'a dit : le vin avait taché mon pantalon, je venais de faire un grand jeté...

– Mais qu'est-ce que tu me chantes ?

– Je parlais avec madame Talleyrine...

– Tututu...

– Au reste, je ne suis plus un petit garçon !

– C'est bien ce que je disais.

La vieille femme rit sourdement en elle-même, comme un matou qui ronronne. Il choisit de faire dévier la conversation.

– Qu'est-ce que vous regardiez ? De vieux albums ? Mais c'est mon père ! Il est plus jeune que moi, sur cette photo. J'avais oublié : il était aussi brun que je suis blond.

– C'est l'homme le plus séduisant que j'aie jamais rencontré, dit-elle en fermant les yeux. Avec toi, bien sûr.

– Sauf que vous préférez les bruns, naturellement.

Elle choisit à son tour de ne pas répondre.

– Et celle-ci, c'est maman, reprend-il en effleurant du doigt le visage souriant d'une jeune femme blonde aux cheveux raides. On dirait une sirène...

– Nous étions cette année-là au Cap-Ferret, commente Grany, tout excitée. C'est là qu'elle a rencontré ton père. Lorsqu'elle nageait, on avait l'impression qu'elle était née dans cet élément.

Il n'aimait point trop revoir ces photos, mais il ne voulait pas chagriner sa grand-mère, si heureuse de reparcourir à tâtons les murs lisses du temps. Il songea à Orphée marchant à reculons dans le film de Cocteau. Il ressentait la même fatigue. Il réentendait la voix de Jean Marais répondre au Tribunal de la Mort :

> – *Qui êtes-vous ?*
> – *Poète.*
> – *La fiche porte « écrivain ».*
> – *C'est presque la même chose.*
> – *Ici, il n'y a pas de presque. Qu'appelez-vous poète ?*
> – *Écrire sans être écrivain...*

Grany interrompit sa rêverie :

– Où es-tu encore passé, Nathanaël ?

– Nulle part, ne vous inquiétez pas.

– Si, je m'inquiète ! Tu es toujours nulle part. Pas de métier, pas de femme... Tiens, regarde Amédée et Antoinette tes autres grands-parents. Qu'ils sont drôles ! Je me rappelle la première fois que nous nous sommes rendus à Chantilly pour les rencontrer, nous, les Américains, avec ta mère, blonde et décolletée. Ils étaient ahuris, comme de voir des Martiens débarquer devant la maison où ton père était né. Heureusement, je me suis tout de suite bien entendue avec ton autre grand-mère. Elle était si heureuse que son fils soit enfin marié ! Il avait fait les quatre cents coups en Espagne, puis avait été blessé à la guerre, et ils désespéraient d'avoir un petit-fils. D'autant plus que ton père avait fui toutes les filles de famille qu'on avait cherché à lui faire épouser ! Mais il y avait ma petite Zelda. Elle venait d'avoir dix-sept ans, elle voulait ton père, et moi, mon Dieu, il me plaisait bien comme gendre.

– Il avait quel âge ?

– Attends un peu... Tu sais, je m'y perds toujours... Ils se sont mariés en 46. Ton père devait donc avoir dans les trente-cinq ans. À propos, ne faites rien pour mes quatre-vingt-huit ans. Tu te rends compte : quelle horreur !

– Tututu ! riposta à son tour Nathanaël.

– Tiens ! dit-elle, montrant une photo jaunie. Le jour de leur mariage... On tient tous nos chapeaux à deux mains. Quelle journée ! Entre nous les Américains et ton grand-père Amédée qui ne parlait pas un traître mot d'anglais, et qui ne supportait même pas que sa femme se poudre le nez ; il trouvait la robe de Zelda trop décolletée... Je l'ai empoigné par le bras et hop, à l'église sans discutailler... Dis, tu m'apporteras les dernières photos de Clara, afin que je puisse continuer mes albums. Il paraît que ton vieux clochard a enfin de la compagnie...

– Quel clochard ? interrogea Nathanaël qui venait de découvrir une photo de sa mère en robe du soir, si féminine, qu'il avait oubliée.

– Tolstoï ! Berthe me dit que tu as disposé partout des photos de Clara. Il doit être content, ton vieux pouilleux. Il n'est plus seul !

– Suffit, Grany !

Mais elle ronronna deux fois plus fort.

– Avant de mourir, j'aurais bien aimé retourner en Amérique. New York me manque. Tu devrais nous emmener, Clara et moi. Je prendrais une infirmière, mais pas celle-là. Elle se pencha et chuchota à l'oreille de Nathanaël : J'aimerais mieux un infirmier, en fait.

– Grany ! Tu ne peux pas t'empêcher de plaisanter !

– Tiens, écoute ça, soupira la vieille dame en fermant les yeux. C'est la musique qui m'a permis de supporter l'accident. *Leidenschaft*, dit-on en allemand.

Elle parlait à présent si doucement qu'il devait redoubler d'attention. Elle paraissait soudain en proie à une immense fatigue.

– La joie par la douleur... J'aime surtout cet andante. L'échec, la lutte, puis la force qui devient joie. Personne n'a su vraiment dire ce que c'est que de perdre un enfant, tu sais ! Sauf peut-être dans cette musique. Comment a-t-il mesuré et compris toute cette souffrance enfermée dans un pauvre cœur humain ? J'écoute cet andante et je les revois tous deux dans la voiture, quelques secondes avant l'accident. Je les revois et cela recommence sans cesse, jusqu'à l'intolérable. Puis la douleur reprend comme à voix basse, pareille à une plainte qu'on essaie de dissimuler... Lui-même avait accepté ce mot d'*Appassionata*, alors qu'il se méfiait de toutes ces appellations... Ah, cela me fait du bien de te parler. Autrefois, tu interprétais si bien cette *Appassionata*... *Leidenschaft*, la passion ! Le sacrifice prévu et accepté. Je ne peux plus bouger, à présent, et ma douleur est encore plus enfermée en moi, comme Beethoven dans sa surdité. Vous êtes ma seule joie, Clara et toi... Laisse-moi, mon petit, maintenant.

Nathanaël se pencha et lui déposa un baiser sur le front. Il se dit qu'il devrait passer plus de temps avec Sarah, relire aussi les *Carnets intimes* de Beethoven, son testament de Heiligenstadt. Il descendit doucement l'escalier, ouvrit le piano et effleura sans bruit les touches d'ivoire. Avec une sorte d'appréhension, sans appuyer, il chercha les premiers accords de l'andante ; ses doigts retrouvaient sans peine les touches, comme un visage aimé dont ils eussent reconnu les traits. Il ferma les yeux. Sa mère était derrière lui, il sentait son parfum. Elle approchait, bientôt elle poserait avec légèreté ses deux mains sur ses épaules, comme à son habitude, il sentirait sa bague bleue, un peu plus lourde, lui appuyer sur la clavicule. Elle murmurerait à son oreille : « Joue pour moi, Nathchenka... »

Il sentit son souffle, la pression de ses doigts :

– Jouez pour moi..., murmura Clara.

Elle s'appuyait tout contre lui, lui entourant le cou de ses bras fragiles.

– Vous vous rappelez, le concours ? J'ai eu envie de remettre un peu du parfum que vous m'aviez offert ce jour-là. Je l'utilise peu. J'ai trop peur de ne plus en avoir. J'aime tant cette odeur. Jouez-moi quelque chose.

Il plaqua doucement le premier accord, mais ses doigts étaient si lourds...

– Vous pleurez ? dit Clara, affolée. Qu'est-il arrivé ? Grany ?

– Non, non, ce n'est pas cela ! C'est un mauvais anniversaire, aujourd'hui.

Elle réfléchit quelques secondes.

– Pardonnez-moi ! J'avais oublié...

– Ce n'est pas grave ! Tu ne les as pas connus.

– Mais ne pleurez pas. Ils sont avec maman ! Je suis sûre que les êtres qui nous aiment vraiment nous quittent pour mieux nous aider depuis là-bas.

– Pourquoi ?

– Vous êtes drôle : c'est vous, maintenant, qui demandez sans cesse « pourquoi ».

Il sourit, se souvenant de leur premier dîner.

– C'est vrai. Tu ne cessais de répéter : « Pourquoi ? Pourquoi ? » Et moi, je pataugeais.

– Je vous détestais. Enfin, pas tout à fait. C'était plus compliqué. Ce que j'ai aimé le plus, à l'époque, c'est votre voiture. Quand on est montées dedans, j'ai eu l'impression d'être une star. Et puis, vous n'étiez pas trop laid...

– Merci tout de même, dit-il, un brin moqueur.

– Pardon...

– Ne t'excuse pas. Viviane, elle, m'appelait « l'Indien » ! À cause de ma peau.

– Oh, à propos ! Vous ne voudriez pas me rendre un service avant le dîner ?

– Mais si, bien sûr !

– Je voudrais tester une lotion dont il a été question dans une rubrique de beauté que je regarde à la télévision.

– Mais pourquoi moi ?

– Les lapins ne sont plus là pour tenir lieu de... cobayes ! répliqua-t-elle malicieusement. Allons, passez à la cuisine !

– À vos ordres, dit Nathanaël en refermant le couvercle du piano.

– Mais, après le dîner, vous me jouerez quelque chose. Promis ?

– Promis ! répondit-il, tout heureux de lui obéir, et surtout qu'elle eût besoin de lui, fût-ce pour appliquer des lotions sur son visage.

– Le premier arrivé.

Ils se ruèrent dans l'escalier. Berthe ouvrit en grand la porte de la cuisine.

– Mais vous en faites, un tapage, Monsieur Nathanaël, quel âge avez-vous donc ? Dix ans au plus !

– Deux ! riposta-t-il. D'ailleurs, je mets un bavoir : voyez !

– Ne prenez pas ma nappe ! hurla la vieille bonne.

– Attention ! Un, deux, trois !

Nathanaël tira à lui la nappe d'un coup sec sous le couvert, comme il avait vu faire une fois à son père.

– C'est-y pas un malheur d'assister à des choses pareilles ! se lamentait Berthe. Ferdinand, fais quelque chose !

Mais Ferdinand était bien trop occupé à éplucher sa page de courses hippiques, dans l'arrière-cuisine, pour se mêler de leur dispute.

– Berthe, je vous adore ! fit Nathanaël tout en se drapant dans la nappe. Allons-y pour la lotion !

– Mais qu'est-ce qu'elle fabrique ? protesta Berthe.

Clara avait sorti du réfrigérateur une crème onctueuse de couleur verte et commença à enduire le visage de Nathanaël avec un pinceau.

– Il paraît que c'est excellent pour la peau, expliqua la jeune fille. Ne bougez pas, Nathanaël !

Il sentait le pinceau le chatouiller agréablement. Penchée au-dessus de lui, Clara le faisait penser aux sorcières du Moyen Âge : ses yeux brillaient d'une étrange excitation. Salomé se préparant à son dernier festin..., songea-t-il, l'espace d'un éclair. Elle avait passé un grand tablier emprunté à Berthe et il ne discernait plus que ses yeux où des flammèches rouges semblaient traverser la glace de son regard ! Le danger approchait.

– Je vous laisse, dit Berthe. Je préfère ne pas assister plus longtemps à ce genre de spectacle. Quand vous voudrez dîner, prévenez-moi, mais ce sera sans nappe !

Ils restèrent seuls. Clara continuait de lui appliquer son emplâtre magique. Curieusement, il avait envie de s'assoupir. Il sentait le parfum de sa mère qu'elle avait mis tout à l'heure, mais si fort qu'il le faisait à présent suffoquer. Sa mère se serrait encore un peu plus contre lui. Ce contact lui brûlait le visage, il étouffait, puis se mit à crier à pleins poumons.

Clara était au-dessus de lui. Berthe et Ferdinand venaient de surgir.

– Ça brûle, vite, de l'eau !

Tout le monde s'activait à lui porter secours. Il ouvrit à grand jet le robinet de l'évier et plongea la tête dessous.

– Je vous l'avais bien dit, Monsieur Nathanaël, de ne pas lui obéir !

Clara avait l'air affolée. Elle avait empoigné un torchon et, le trempant dans l'eau, l'aidait à ôter ce qui restait de la crème qui, en l'espace de quelques minutes, avait subitement durci.

– Vous allez bien ? questionna Clara, hagarde. Vous allez bien ?

– Cela se calme, bredouilla-t-il en sortant, tout dégoulinant, de sous le robinet.

Il avait encore un bout de pâte verte collé sur le bout du nez, qu'elle lui retira délicatement, mais elle fut aussitôt emportée par un rire nerveux qui l'enleva à son tour, comme si un coursier hennissant les entraînait tous deux dans sa course folle.

Berthe et Ferdinand se laissèrent embarquer eux aussi et la cuisine résonna jusque tard dans la soirée de ces joyeuses galopades qui, par moments, venaient les reprendre.

Au cours de cette nuit-là, Nathanaël eut l'impression que Gabriel, Zelda et Louise étaient venus sur la pointe des pieds vérifier si tous deux dormaient à poings fermés, mais il rêva aussi de Tatiana, sa vieille dame du Café Marly, ce qui ne laissa pas de l'inquiéter.

CHAPITRE 15

Le loup

Nathanaël admire le profil du danseur, sa tête de loup. Il n'a pas cinquante ans. Nathanaël le trouve plus jeune que lui, mais son corps puissant le fait songer à Clara lorsqu'elle se réfugie et se ramasse dans un de ses silences rageurs de plusieurs jours. Tous deux abritent en eux le même hurlement, se dit-il en les regardant travailler ensemble.

Le danseur à tête de loup a été l'une des grandes stars du siècle. Nathanaël se rappelle l'éblouissement de son père et de sa mère quand ils revenaient de l'avoir vu danser, mais, à l'époque, lui-même ne se souciait guère de la Danse. On sent l'ancien artiste farouche, fougueux et solitaire. En le regardant immobile sur sa chaise qu'il a tournée à l'envers avant de l'enjamber et d'allonger ses jambes musculeuses chaussées de Doc Martens rouges, Nathanaël se dit que ses colères devaient être semblables à d'amples tempêtes sur des forêts ténébreuses. Il avait travaillé avec Georges Maurice et cela avait donné l'un des plus beaux ballets du siècle.

Vital a insisté pour qu'il reste à la leçon. Entre

eux deux règne une véritable entente, même si l'un et l'autre ne sont guère bavards. Clara prépare un des trois grands concours internationaux et Vital, qui donne peu de leçons particulières, a curieusement accepté de travailler avec elle.

Tout s'est décidé au cours d'une soirée à laquelle il avait accompagné Clara, invitée par mademoiselle Serane. Il avait retrouvé là une ancienne relation de l'époque où il se mêlait encore des affaires du monde : un jeune avocat, Jean, qu'il avait quelque peu aidé au poste qu'il occupait alors. Jean ne l'avait point oublié et en avait gardé une fidèle gratitude à Nathanaël, qu'il n'avait pourtant plus revu depuis lors. Aussitôt, il s'est mis en quatre pour l'inviter à dîner, avec Clara, en compagnie de son ami Vital, l'ancien danseur étoile. Tout naturellement, tous quatre en sont arrivés à se retrouver comme s'ils se connaissaient depuis des lustres. Tout s'est fait dans la simplicité, malgré la réputation de Vital, que les gens n'approchaient qu'avec crainte. Lui-même faisait maintenant du cinéma et du théâtre. Beaucoup auraient aimé l'engager et auraient même été prêts à lui proposer des fortunes, mais la danse lui avait laissé une haute exigence des rôles. Il restait « le Prince » et n'avait aucune envie de se fourvoyer ici ou là pour répliquer : « Passez-moi le sucre ! » sur scène ou sur écran. Il cherchait plus volontiers à jouer les Œdipe ou les Richard III.

Le studio de danse a un aspect sépulcral, ou bien est-ce la musique d'Adolphe Adam qui étreint le cœur de Nathanaël ? Clara répète le début du pas de deux où le fantôme de Giselle apparaît au prince Albrecht pour le sauver des Wilis. La jeune danseuse a encore maigri, constate Nathanaël, l'âme serrée en la voyant s'avancer, diaphane, sur ses pointes qui effleurent le sol sans bruit. Elle travaille trop, se dit-il, mais elle ne veut rien entendre. Son ancien professeur au Conservatoire lui dispense désormais des cours à l'extérieur, comme à ses autres camarades, et voici maintenant qu'ils passent deux heures avec Vital tous les dimanches après-midi. Il faut qu'il trouve un moyen d'arrêter cette folie, semblable à la ronde infernale des Wilis qui exigent du prince qu'il danse jusqu'à ce que mort s'ensuive. Combien de temps pourra-t-il lui-même tenir aux côtés de Clara ? se demande-t-il en la regardant recommencer pour la énième fois l'entrée de Giselle.

Le vendredi précédent, ils ont frôlé la tragédie. Clara tentait d'entrer à l'Opéra. Elle avait préparé la variation requise pour l'examen, une épreuve à la limite des forces humaines. Il s'agissait du pas d'Auber où la danseuse doit s'avancer sur une même jambe pendant toute une diagonale. Mademoiselle Serane le lui avait fait travailler et retravailler, la réconfortant, et Vital lui avait donné un dernier « cou de pied », comme il disait en riant. Elles étaient plus de cent cinquante à faire la queue dès huit heures du matin. Certaines venaient d'Italie, d'Allemagne, voire de bien plus loin encore pour passer ce concours ouvert à celles qui n'étaient pas issues directement de l'École de l'Opéra. Elles pouvaient ainsi être engagées comme surnuméraires, puis intégrer elles aussi le corps de ballet et gravir ensuite les échelons : quadrille, choryphée, sujet, première danseuse... Nathanaël trouvait cette formule opportune et sage, car l'École de l'Opéra, recrutant les enfants vers dix, onze ans, pouvait fort bien passer à côté de grandes personnalités. Il avait d'ailleurs été choqué par l'effectif réduit des classes élémentaires de cette école d'État. D'expérience, il savait que plus on réduit la base d'une pyramide, moins on risque de trouver de l'or à son sommet.

Il s'était apprêté à l'attendre toute la matinée au Café de la Paix, mais elle était réapparue à peine deux heures plus tard, son petit visage ravagé par la douleur. Non seulement elle n'avait pas été prise, mais le jury ne les avait guère regardées plus de dix minutes. Il n'avait même pas été question de la variation. Finalement, on avait repris celles des élèves de l'École qui avaient été refusées quatre jours auparavant à l'issue du concours qui leur était réservé !

Cherchant à la consoler, Nathanaël ne reçut qu'une brève phrase prononcée les dents serrées :

– Je recommencerai. Ils verront bien, un jour !

Il pensa à sa grand-mère qui citait toujours cette phrase de Beethoven : « Ils finiront bien par aimer... »

Et elle était repartie, de plus en plus hallucinée, à ses cours.

Un pâle rayon de soleil vient l'éclairer de blanc l'espace d'un instant. Elle s'élance comme sur un fil. Vital bondit, danse avec elle, lui explique au fur et à mesure ce qui se passe entre eux deux, la sensation d'Albrecht qui devine sa présence sans la voir, puis l'apparition de Giselle.

Nathanaël aimerait retenir cet instant : ce ne sont plus Vital ni Clara, mais le dialogue du Visible avec l'Invisible, la chair réincarnée, l'amour transfiguré. La voix de Vital s'étrangle d'émotion : il redanse en corps et en esprit, ici et ailleurs.

En cet instant, Nathanaël comprend le pourquoi de ces heures d'inlassable travail, ces fringales réprimées, ces pieds saignants : l'humanité vient une nouvelle fois d'être sauvée, tel Albrecht. La Danse n'est pas seulement faite de grâce, elle est la Grâce au sens où les jansénistes l'entendaient, et c'est en cela qu'elle est une discipline si terrible, face au Dieu muet. D'aucuns peuvent s'épuiser toute leur vie à l'atteindre sans jamais y arriver ; d'autres la reçoivent à leur naissance ; mais, dans tous les cas, il ne faut jamais cesser de la mériter. Tel est le Pari dans sa vertigineuse perspective, semblable aux dessins que réalisait Gabriel l'Architecte, où toutes les lignes convergeaient vers un point unique et invisible – le point de fuite.

Plus Clara travaille sa technique, plus son interprétation grandit ; et plus son interprétation grandit, plus elle doit travailler sa technique. Ainsi, la perfection à atteindre se dérobe sans cesse, de plus en plus désirable, et entraîne l'artiste dans une quête éperdue, au bord de la folie. La Danse lui faisait comprendre qu'elle n'était pas un vague sujet de philosophie, mais l'axe d'une ascèse quotidienne et inflexible du corps et de l'esprit.

Un silence s'abat lorsque tous deux s'arrêtent, épuisés, couverts de sueur. Nathanaël ne bouge pas. Clara et Vital sont comme deux boxeurs reprenant leur souffle. Vital s'approche en titubant de sa partenaire et lui enserre le visage entre ses deux mains puissantes tout en lui déclarant quelque chose que Nathanaël n'entend pas. Peut-être est-il en train de l'embrasser ? se demande-t-il, mal à l'aise. Au royaume de la Danse, il sait qu'il n'y a aucun rôle pour lui.

– Elle a bien travaillé. Mais ce n'est plus de mon âge, dit Vital en s'essuyant avec la serviette-éponge qu'il prend des mains de Clara. Tu permets ?

Elle acquiesce d'un signe de tête et ils disparaissent tous deux dans les vestiaires. Mademoiselle Serane fait son entrée. C'est elle qui a prêté son studio à Clara et Vital.

– Cela s'est bien passé ? demande-t-elle à Nathanaël, toujours immobile sur sa chaise, lourd d'une tristesse qui a jeté sur ses épaules son pesant manteau.

– Oui, oui, merci beaucoup, répond-il en se levant comme au sortir d'une longue torpeur. Je vous suis infiniment reconnaissant de nous avoir laissé votre studio.

– C'est un plaisir d'aider Clara. Quand partez-vous pour le concours ?

– La semaine prochaine. Le voyage est assez long.

– Vous resterez là-bas une semaine. Elle dansera deux variations, c'est bien cela ?

– Oui, *Giselle,* la variation classique, et puis *Brünnhilde,* de Georges Maurice.

– Il le lui a bien fait travailler. Elle n'a rien à craindre. Il sera là-bas, je crois ?

– Oui, mais il n'assistera pas au concours. Il a horreur de cela. Elle pourra toujours aller lui dire bonjour à la Compagnie. Vous dînez avec nous, ce soir ? Pas trop tard, puisque Clara se lève demain aux aurores...

La neige tombe sur l'année finissante. Tous quatre dînent au Café Marly, mais Nathanaël ne peut s'empêcher de penser que cette coupe de champagne qu'il lève à l'adresse des trois autres convives ne contient plus que quelques ultimes gouttes. Une fois de plus, Clara n'a daigné ni trinquer ni boire ! Ils fêtent sa seizième année.

– Ainsi, tu es née le jour d'Austerlitz !

Oui, Clara est née un 2 décembre, et ça fait beaucoup rire Vital. Mademoiselle Serane dit qu'elle a horreur des militaires, de la guerre, de la violence en général ; elle est arménienne et ses grands-parents ont vécu l'horrible exode auquel son peuple fut contraint par les Turcs. Son aïeule a péri brûlée vive. Clara semble bouleversée par le récit de mademoiselle Serane. Vital raconte alors à son tour comment sa mère avait fui avec son bébé dans l'Allemagne en flammes : le bébé, c'était lui. Puis Nathanaël parle de son père. Il constate que Clara ne les écoute pas comme font les autres ordinairement : elle vit tous les événements en même temps qu'elle les entend rapporter. Elle fait montre d'une sensibilité à fleur de peau, dit-on d'elle à présent. Il médite sur cette expression lorsqu'un serveur l'interrompt :

– Pardonnez-moi, monsieur, mais on nous a livré ceci pour vous ce matin.

Il lui tend un petit paquet où l'on a inscrit d'une belle écriture :

À Monsieur Vosdey,
CAFÉ MARLY.

Il a brutalement froid. Ouvre le paquet, cependant que Clara feint de s'insurger :

– Je croyais que c'était mon anniversaire !

– Voilà ce que c'est d'être trop séduisant, plaisante Vital à l'adresse de Nathanaël. Ah ! les femmes !

Un petit cahier cartonné apparaît ; une enveloppe tombe du paquet. Nathanaël déplie la lettre en s'excusant auprès des autres invités. L'écriture, longue, fine et penchée, est coupée de larges blancs, d'amples respirations, comme si la vieille dame avait souhaité lui laisser le temps de se reprendre entre chaque paragraphe :

« *Mon Prince, un jour,*

« *J'ai reçu votre anneau, mais il est trop tard pour me retrouver ou pour me perdre, comme dit le poète. Vous ne m'avez jamais rien demandé, mais vous m'avez offert une dernière histoire d'amour. Je vous ai aimé vraiment, comme si j'avais eu seize ans – oui, comme jadis, mon Prince.*

« *Vous avez dû penser que j'étais une danseuse, à cause de mon port de tête, mais je n'ai rien fait qu'aimer, regarder le monde, et vendre mes bijoux pour survivre lorsque l'amour m'a quittée.*

« *Sauf votre anneau, ce dernier bijou. Vous avez mis du temps à m'écrire, mais j'ai su attendre.*

« Je garde cette alliance, puisque je vais m'unir à la mort et parce que je crois que, cette fois, c'est pour la vie !

« Clara doit commencer à être une vraie danseuse. Ne lui dites rien de moi, ce sera notre secret. Peut-être fallait-il que je disparaisse pour qu'Elle apparaisse. Elle est votre Cygne, mais lequel ?

« Tatiana. »

Elle avait ajouté : « *Présentez-vous au 16 de l'impasse...* » Il ne pouvait presque plus lire, les lettres se brouillaient. Il put encore déchiffrer : « *Quelque chose vous y attend...* » Il se leva en s'excusant. Dans les toilettes, il ouvrit le petit livre. Elle avait inscrit de sa main « JOURNAL DE TATIANA QUI RIME AVEC RIEN », et avait ajouté : « *Vous en ferez peut-être quelque chose un jour...* »

Le lendemain, il se présenta à l'adresse indiquée. La gardienne lui remit la canne. Tatiana s'était laissée mourir, ne mangeant plus, ne voulant déranger personne. Il avait juste eu le temps de lui envoyer l'anneau promis.

CHAPITRE 16

« Danse ! »

Quiconque élève bien son enfant
pourrait bien gouverner un pays.

OSTAD ELAHI

Cela fait plus d'une heure qu'ils attendent les résultats, entassés dans l'étroit et long couloir. Clara est encore plus grande, plus maigre, mais, dans son visage émacié, ses yeux étincellent de joie. Elle a un air mutin et Nathanaël s'évertue à comprendre l'origine de ce nouvel éclat. En face d'elle, une grande fille blonde, un peu plus en chair, se mord les lèvres en lorgnant Nathanaël, émettant une sorte de prière muette par-dessous ses longs cils où elle a posé du rimmel rose. D'ici quelques instants, Clara et elle sauront si elles sont retenues en demi-finale.

Nathanaël s'est assis sur les marches de l'hôtel où seront proclamés les résultats. Il observe danseuses et danseurs. Depuis qu'il a rencontré

Vital, il est devenu plus attentif aux seconds, qu'il ignorait pour ainsi dire jusque-là. Vital lui a fait découvrir l'inéluctable mort du danseur en pleine puissance : ces hommes-oiseaux s'arrêtent, comme fusillés dans leur dernier vol. Parfois, à la télévision, il voit des chômeurs inquiets, des travailleurs réclamer les trente-cinq heures, ou moins. Nathanaël songe alors à Vital qui, un soir qu'il était seul, lui a confié cette réflexion d'Yvette Chauviré : « Je crois que nous sommes faits pour quelque chose. Nous sommes privilégiés, mais l'harmonie ne peut exister que par le mariage de la puissance physique et de l'esprit conducteur du geste. Or arrive un moment où il faut arrêter, car les cordes de notre violon ne sont plus assez souples ni obéissantes pour suivre notre pensée, notre désir, notre science... »

Nathanaël considère Clara. Ce soir, elle rayonne. Pourtant, aucun résultat n'a encore été donné. Beaucoup, en coulisses, parlent d'elle et d'un garçon exceptionnel, mais Nathanaël se dit qu'arrivés à ce concours tous les candidats ont quelque chose de rare, ne serait-ce que leur obstination à travailler coûte que coûte.

– Si vous voulez bien entrer, mesdemoiselles, messieurs...

Ils se pressent dans la salle où l'on déroule un écran afin d'y projeter les numéros gardés en finale. Nathanaël ne s'habituera jamais à attendre celui de Clara.

Il aperçoit, brouillé, le 2, puis le 8, puis le 12 encore moins net, puis il ne voit plus rien. Il a fermé les yeux. C'est pourtant bien cela : le 14. Clara a poussé un hurlement de joie. Elle accède à la finale. La finale du grand concours ! Elle saute de joie. À côté de lui, il entend de gros sanglots ; la jolie blonde n'a pas été gardée. Il a envie de la consoler.

– Ne vous en faites pas, mademoiselle.

Elle le regarde avec des yeux effarés et, sans qu'il se méfie, elle s'écroule dans ses bras. Clara les toise, le sourcil levé, menaçant. Nathanaël lui adresse un sourire d'excuse et tend un mouchoir à la blonde qui a laissé des marques sur son veston. Celle-ci s'écarte à regret, s'empare du mouchoir, mais, déjà, Clara le tire par la manche :

– Venez, maintenant ! lance-t-elle d'une voix autoritaire.

Ils passent prendre les directives pour le lendemain, vérifier l'heure à laquelle va avoir lieu la finale, l'ordre des variations, puis ils rentrent à l'hôtel.

– Tu veux manger tôt ? dit-il en la laissant devant sa chambre.

– Non ! Je préfère préparer mes affaires, puis dîner tranquillement d'ici une bonne heure. J'ai envie que vous m'invitiez ce soir au beau restaurant de l'hôtel. Cela me portera chance.

– Tu es sûre que cela ne va pas te fatiguer ?

– Au contraire. J'ai besoin de me détendre avant demain, et puis j'ai envie de dîner avec vous.

Elle pénètre rapidement dans sa chambre, l'air bizarre. Puis repasse vite la tête par l'entrebâillement :

– À propos, faites-vous beau !

Elle a disparu.

Il gagne à son tour sa chambre pour se

préparer. Depuis leur arrivée, ils se lèvent à l'aube, courent au théâtre pour les répétitions, les épreuves, puis, le soir venu, attendent les résultats. La voici enfin parvenue en finale ! Il se laisse choir sur le lit, épuisé. Il va se faire couler un bain avant le dîner et appeler Sarah pour l'informer de la bonne nouvelle.

– Allô ! Allô ! Attends, mon Nathanaël, j'ôte mon appareil, sinon je ne t'entendrai pas... Vite, dis-moi...

– Elle est prise, Grany !

– J'en étais sûre. Tu l'embrasseras pour moi. Dis-lui que je pense à elle.

– Tout va bien ?

– Ne t'inquiète pas, mon grand. Oh, à propos, Berthe m'a dit hier qu'un homme voulait te joindre à tout prix. Ferdinand lui a donné l'adresse et le numéro de votre hôtel. Berthe était furieuse contre lui, mais Ferdinand a expliqué qu'il insistait tellement...

– Ce n'est pas grave. Je ne connais pas grand monde, de toute façon, et nous quittons l'hôtel dès demain soir...

Après le bain, il endosse son smoking. Le restaurant est chic, les Italiens ont l'habitude de s'habiller pour dîner et il tient à faire plaisir à Clara. En s'examinant devant la glace, il remarque pour la première fois un peu de gris à ses tempes. C'est à peine perceptible au milieu de ses cheveux blonds, mais il se connaît bien. Je vais sur mes quarante ans, se dit-il, et je n'ai rien fait. Si, Clara...

Rien de plus dangereux que de trop prêter attention à sa toilette, on aperçoit d'emblée ses premières rides, ses premiers cheveux blancs. Toute la semaine, il a enfilé des pulls à la va-vite, couru au théâtre, et n'a guère pris le temps de se regarder longuement. « Les riches se voient vieillir plus vite, lance-t-il à son image. Méfie-toi, vieux crabe ! »

Au moment de franchir le seuil de sa chambre pour gagner le bar où ils se sont donné rendez-vous – encore une idée de Clara : décidément, elle est étrange, ce soir ! –, il se dit qu'il doit lui offrir quelque chose pour lui porter chance. Il songe à Louise, ainsi qu'il le fait de plus en plus souvent, puis à sa propre mère... C'est l'évidence même. C'est cela qu'il faut lui offrir ! Demain, après ce concours, ne va-t-elle pas s'envoler pour une autre vie ?

Elle n'est pas encore arrivée. Il s'assied ; mû par une espèce de félicité, il commande un *old-fashioned* : ce soir, il faut obéir au Destin, ne le contrarier en rien. Peut-être décrochera-t-elle la médaille d'or ?

La voici qui s'avance et il reste bouche bée, tout en se levant avec précipitation. Elle a revêtu un fourreau noir qui lui laisse le dos découvert, ses cheveux sont retenus par-derrière ; elle porte de hauts talons, contrairement à son habitude, et ses yeux maquillés semblent s'être encore agrandis. Elle s'assied, fière de l'effet qu'elle produit, et demande une coupe de champagne.

– Tu es sûre ? Tu danses demain...

– Ne gâchez pas cette soirée.

– Justement, je voulais t'offrir quelque chose pour te porter chance.

Il sort le petit paquet.

– Pardonne-moi, je l'ai mise dans ma boîte à boutons de manchettes. Comme je porte toujours ce bijou sur moi, je n'avais pas son écrin ici.

Il lui tend le petit boîtier rouge. Elle l'ouvre, légèrement anxieuse. La bague de sa mère, bleue du même bleu que le regard qui s'embue face à lui, resplendit à la lueur de la bougie posée sur leur table.

– C'est trop beau, murmure-t-elle.

– C'est la bague que Gabriel avait offerte à ma mère. Je crois qu'il faudra que tu la portes à ton majeur !...

– J'adore porter les bagues à ce doigt-là, dit-elle, hésitant encore à s'en saisir.

– Mets-la, insiste Nathanaël.

– Merci pour tout, répond-elle d'une voix rauque, mais elle ne trinque pas et avale rapidement une gorgée de champagne.

Le dîner se passe à converser. Jamais Clara n'a été aussi agréable. Elle lui explique que sa mère l'a appelée Clara à cause de Clara Schumann, à qui elle vouait une très grande admiration.

– Elle m'avait offert son *Journal intime* et ses *Lettres d'amour* pour mes dix ans, mais c'est tellement triste !

Ils parlent de Sarah, de Berthe, de Ferdinand, de Viviane. À plusieurs reprises, elle revient sur Georges Maurice qu'elle a vu assez longuement au début de la semaine, dit-elle de manière évasive. Elle semble vouloir lui confier quelque chose à ce sujet, mais s'arrête et s'abstient.

– Dis-moi, la presse Nathanaël. C'est un projet, comme ça ?...

Elle fait tourner son doigt autour de son couteau. Nathanaël songe à Salomé. Le tableau de Cranach s'impose à lui à ce moment où il aurait dû savourer tranquillement le bar grillé déposé dans leur assiette. Ses yeux à elle ont pris une drôle de couleur.

– Tu peux me parler ! Jamais je ne trahis les projets des artistes, hasarde-t-il avec prudence.

– Je ne sais... Il voudrait faire un nouveau ballet. Peut-être avec moi... Un Cygne androgyne... Il m'a parlé de *Mort à Venise*, avec la musique de Mahler et celle de Tchaïkovski... des poèmes de Pouchkine...

– Ce serait formidable, non ? Mais il ajoute aussitôt : Et tu partirais avec lui, n'est-ce pas ? Tu es bien jeune...

– Oh, dit-elle en tournant la tête. Plus tard, on verra...

– C'est vrai, on a le temps. Tu ne manges pas ? reprend-il, inquiet de la voir à nouveau silencieuse.

– J'ai déjà beaucoup mangé.

C'est la première fois qu'elle s'excuse de ne pas faire assez honneur à un repas.

– Avec ce concours, demain, je comprends... Tu es contente ?

– Oui, dit-elle. Merci, Nathanaël.

C'est la seconde fois que, de manière insolite, elle lui exprime sa reconnaissance.

– Tu ne voudrais pas plutôt être fonctionnaire ? lui lance-t-il en feignant d'être sérieux.

Elle éclate de rire :

– Vous ne les aimez pas beaucoup, on dirait...

– C'est mon ami Tolstoï. J'y pense parce que, cette nuit, je lisais dans *Résurrection* une page terrible où il s'en prend violemment à eux. Il dit en gros « qu'ils voient devant eux non pas des hommes et leur devoir envers ceux-ci, mais uniquement leur fonction qu'ils placent au-dessus des devoirs de l'humanité ». Dans ces conditions, dit-il, et la violence de son propos m'a fait réfléchir, « il n'y a pas de crime que l'on ne puisse accomplir en s'estimant irréprochable ». Mais je t'ennuie...

– Pas du tout ! J'aime bien parler avec vous. C'est comme avec Georges Maurice, il sait tant de choses...

– Je vais finir par être jaloux, menace-t-il en riant.

Elle sourit et détourne une nouvelle fois la tête.

– Tu prendras un dessert ?

– Non merci, Nathanaël, mais je veux bien un cappuccino.

– Pourquoi demandes-tu cela ? dit-il, soudain triste.

– Je viens de découvrir ça dans ce pays. C'est drôlement bon.

– Eh bien, moi aussi, marmonne-t-il en regardant en l'air.

– Qu'est-ce qui vous prend ?

– Ne t'inquiète pas, je parle aux dieux. J'ai l'impression qu'ils ont tout emmêlé. Je pense aussi à cette dernière annotation de Beethoven dans ses carnets : « *La loi morale en nous et le Ciel étoilé au-dessus de nous...* »

Elle rit, les pommettes roses, et lui chuchote :

– Vous devriez écrire ! Vous êtes à moitié fou.

– Et qui te dit que je n'écris pas ?

– Si l'on dansait ?

Il se penche un peu plus près d'elle :

– Dansons !

La musique est facile, mais il a l'impression de ne rien tenir entre ses bras. Un fantôme, pense-t-il. Curieusement, les coups d'archet des violons lui lacèrent le cœur. Elle le regarde à présent comme la toute première fois. D'un œil presque cruel, se dit-il. Ils entament une valse, mais, avant la fin, elle lui annonce d'une voix glacée, ou qu'il trouve telle :

– Je crois qu'il est temps.

Il la raccompagne aussitôt. Parvenus dans le couloir, il se remémore vaguement une image d'autrefois : elle marchait devant lui, ses cheveux nattés dansant dans son dos. Il s'appuie contre le mur. Elle se retourne déjà :

– Ça ne va pas ?

– Si, si, au contraire. J'admirais ta démarche...

Il dit décidément n'importe quoi. Il la rejoint à la porte de sa chambre.

– Demain, quelle heure pour la dernière épreuve... Cinq heures ?

– Écoutez, Nathanaël, j'aimerais mieux y aller seule. Rejoignez-moi vers midi, après l'échauffement. Inutile qu'on s'énerve à deux. Je prendrai un taxi.

– Vraiment ? Comme tu veux. Donc, demain sur le coup de midi. La finale est à quelle heure ?

– Deux heures et demie, car il y a un gala après.

– Si tu as besoin de la moindre chose, tu m'appelles.

– Encore merci pour tout, Nathanaël.

Elle va pour pénétrer dans sa chambre. Soudain, elle se retourne à nouveau avec une violence qui le laisse surpris, s'accroche à lui – à moins que ce ne soit lui qui l'attrape, l'enlace, ou elle qui l'embrasse maladroitement –, non, c'est lui qui attire son visage contre le sien, mais c'est elle qui s'y plaque encore plus fort...

– Ne crains rien, mon enfant. Clara, calme-toi...

Il la serre à la broyer. Elle l'entoure de ses deux bras. Puis elle se décale et s'écarte tout aussi violemment, les yeux agrandis de peur. Elle lui touche le visage – il sent le poids de la bague sur sa joue.

Il la retient, l'embrasse avec délicatesse au creux de sa paume, puis referme sur son baiser la longue main en murmurant :

– Danse !

Elle a disparu.

La nuit attend posément Nathanaël dans sa chambre.

Comme il n'arrive pas à dormir, il tente de terminer *Résurrection*, mais doit s'arrêter, l'air pensif, pour revoir les visages de Tatiana, Louise, Viviane, Christina, mademoiselle Serane, Georges Maurice, Vital... Dès que ceux-ci se dissipent, il reprend son livre. Il imagine Tolstoï à plus de soixante-dix ans, terminant son roman, recopiant avec soin les paroles du Christ. Peut-être a-t-il veillé à prendre une page vierge pour inscrire la fin de *Résurrection* :

« *À ce moment, les disciples s'approchent de Jésus et disent : Qui donc est le plus grand dans le royaume des cieux ?*

« Jésus, ayant appelé un petit enfant, le place au milieu d'eux... »

Nathanaël suspend sa lecture et va ouvrir la fenêtre. Le lac se couvre d'or blanc dans la nuit claire.

– Sacré vieux bonhomme, murmure-t-il en regardant le ciel. Où es-tu fourré maintenant ?

À l'aube, il s'endort en souriant à la pensée que Clara dort tout contre lui. Bientôt, il l'emmènera à la découverte de Venise.

Il prend son petit déjeuner sur le coup de neuf heures. Il a tout le temps de rejoindre Clara, à midi. On a apporté et déposé une enveloppe avec son café. Il la décachette avec le couteau d'argent. Il reconnaît d'emblée les dessins de Clara, ses oiseaux.

« Cher Nathanaël, je voulais vous le dire, hier soir, mais je n'ai pas pu. Je ne ferai pas la finale du concours. Ce n'est qu'un concours, après tout. Georges Maurice partait ce matin pour le Japon. Il m'a proposé de venir avec lui pour commencer à répéter son ballet. Vous savez, le Cygne qu'il crée pour moi... Je savais que vous seriez d'accord, mais je ne voulais pas vous faire de la peine. Et puis, j'avais fait un pari avec moi-même : si je parvenais en finale, je m'envolais. Voilà. Tout s'est précipité. Je vous donnerai de mes nouvelles. »

Il faut les arrêter, les empêcher ! N'est-elle pas mineure ? Il attrape le téléphone.

– Allô !

– Justement, monsieur Vosdey, j'essayais de

vous appeler. Un monsieur tient absolument à vous voir.

– Faites monter tout de suite, ordonne Nathanaël d'un ton sec.

C'était sûrement un assistant de Georges Maurice que ce dernier avait chargé d'arranger les formalités. Il la ferait rapatrier d'urgence. Tout à coup, il vit le soleil en bas de la lettre, qui riait. Elle avait l'habitude de dessiner des soleils à sa mère. Cette fois, c'était pour lui seul qu'elle avait dessiné ce soleil à la bouche écartée, joyeux. L'astre pétillait. Il comprit : elle avait pris son envol. Le premier. Il fallait la laisser se brûler elle-même, ne pas s'inquiéter.

Elle était l'azur, et aucun infini ne serait trop vaste pour elle.

Mais un autre, Georges Maurice, serait l'initiateur, le magicien, se dit-il avec jalousie.

On frappa quelques coups.

– Entrez, dit-il, le visage impassible, en ouvrant la porte.

Un homme jeune et brun se tenait dans l'encadrement. Mal rasé, accoutré bizarrement, un curieux chapeau planté de guingois sur le crâne.

– Qui êtes-vous, monsieur ? interrogea Nathanaël, intrigué par le sourire insolent de cet homme plus jeune que lui, en tout cas moins austère.

Il avait une beauté originale. On sentait un rebelle, surtout à cause de ce sourire à damner les âmes, de l'éclat de ces yeux bleu foncé qui...

Nathanaël vacilla.

– Heureux de vous retrouver enfin, dit l'homme après un silence en tendant une main prompte, comme pour le poignarder. Je suis Piotr Lermantes, le père de Clara. J'ai mis longtemps. Nous étions en tournée au bout du monde. Et avec toutes ces guerres un peu partout... sans compter que je suis tzigane, ce qui n'arrange rien ! Je n'ai plus qu'une hâte : embrasser ma petite fille.

Remerciant les dieux, Nathanaël se félicita que l'avion fût déjà parti.

Table des matières

Achevé d'imprimer en mars 1999
sur presse Cameron
par **Bussière Camedan Imprimeries**
à Saint-Amand-Montrond (Cher)
pour le compte de la librairie Arthème Fayard
75, rue des Saints-Pères – 75006 Paris

35-33-0361-01/2

Dépôt légal : mars 1999.
N° d'Édition : 4678. N° d'Impression : 991164/4.

Imprimé en France

ISBN 2-213-60161-5